**roman**

# Simone de Beauvoir

# LES INSÉPARABLES

*Introduction de*
*Sylvie Le Bon de Beauvoir*

# L'Herne

# INTRODUCTION

Aux côtés de Simone de Beauvoir âgée de neuf ans, élève du cours catholique Adeline Desir, prend place une brunette aux cheveux courts, Élisabeth Lacoin, dite Zaza, de quelques jours son aînée. Naturelle, drôle, hardie, elle tranche sur le conformisme ambiant. À la rentrée suivante, Zaza n'est pas là. Morne et accablant, le monde s'assombrit, quand soudain la retardataire survient et, avec elle, soleil, joie et bonheur. Sa vive intelligence et ses multiples talents séduisent Simone, elle l'admire, elle est subjuguée. Elles se disputent les premières places, deviennent inséparables. Non que Simone ne vive heureuse dans sa famille, entre sa jeune mère chérie, son père admiré et une sœur cadette inféodée. Mais ce qui advient à la petite fille de 10 ans, c'est la première aventure du cœur : son sentiment pour Zaza est passionné, elle la vénère, tremble de lui déplaire. Elle ne comprend pas, bien entendu, dans la pathétique vulnérabilité de l'enfance, la révélation précoce qui la foudroie, c'est pour nous, ses témoins, qu'elle est si émouvante. Ses longues conversations en tête à tête avec Zaza revêtent à ses yeux un prix infini. Oh ! leur éducation les corsète, pas de familiarités, elles se vouvoient, mais en dépit de cette réserve elles se parlent comme Simone n'a jamais parlé à personne. Qu'est le sentiment innommé qui, sous l'étiquette conventionnelle d'amitié, embrase son cœur tout neuf, dans l'émerveillement et les transes, sinon de l'amour ? Elle comprend très vite que Zaza n'éprouve pas un attachement analogue, ni ne soupçonne l'intensité du sien, mais qu'importe, à côté de l'éblouissement d'aimer ?

Zaza meurt brutalement, un mois avant ses 22 ans, le 25 novembre 1929. Une catastrophe imprévue, dont Simone de Beauvoir reste hantée. Longtemps son amie est revenue dans ses rêves, le visage jauni sous une capeline rose, la regardant avec reproche. Pour abolir le néant et l'oubli, un seul recours : le sortilège de la littérature. Quatre fois, dans diverses transpositions, dans des romans de jeunesse inédits, dans son recueil *Quand prime le spirituel*, dans un passage supprimé du roman *Les Mandarins,* qui lui a valu le Goncourt en 1954, quatre fois déjà l'écrivaine a tenté en vain de ressusciter Zaza. Elle réitère, la même année, avec une longue nouvelle, restée inédite jusqu'à aujourd'hui, qu'elle a laissée sans titre et que nous publions ici. Cette ultime transposition fictive la laisse insatisfaite mais la mène, par un détour essentiel, à la conversion littéraire décisive. En 1958, elle intègre à l'écriture autobiographique l'histoire de la vie et de la mort de Zaza : ce sont les *Mémoires d'une jeune fille rangée.*

La nouvelle achevée, et conservée par Simone de Beauvoir malgré le jugement critique qu'elle portait sur elle, n'en a pas moins la plus grande valeur : devant un mystère, l'interrogation s'exaspère, on multiplie les angles d'approche, les mises en perspective, les éclairages. Et la mort de Zaza reste en partie un mystère. Les lueurs que jettent sur lui les deux écrits de 1954 et 1958 ne se superposent pas exactement. C'est dans la nouvelle que pour la première fois est mis en scène le thème de la grande amitié. De ces amitiés énigmatiques comme l'amour, qui ont fait écrire à Montaigne à propos de La Boétie et de lui-même : « Parce que c'était lui, parce que c'était moi. » À côté d'Andrée, incarnation romanesque de Zaza, se tient une narratrice qui dit « je », son amie Sylvie. « Les deux inséparables » sont réunies, dans le récit comme dans la vie, pour affronter les événements, mais c'est Sylvie qui, à travers le prisme de son amitié, les rapporte, permettant, par le jeu des contrastes, d'en révéler l'irréductible ambiguïté.

Le choix de la fiction impliquait diverses transpositions et modifications qu'il faut décrypter. Les noms propres de personnages et de lieux, les situations familiales diffèrent de la réalité. Andrée Gallard se substitue à Élisabeth Lacoin, et Sylvie Lepage à Simone de Beauvoir. La famille Gallard (Mabille dans les *Mémoires d'une jeune fille rangée*) comporte sept enfants, dont un seul garçon ; chez les Lacoin, ils étaient neuf vivants, six filles et trois garçons. Simone de Beauvoir n'avait qu'une sœur, son alias Sylvie en a deux. On reconnaît évidemment dans le collège Adélaïde le fameux cours Desir, situé rue Jacob à Saint-Germain-des-Prés ; c'est là que leurs institutrices baptisèrent les deux petites filles « les inséparables ». L'expression, parce qu'elle jette un pont entre réalité et fiction, servira désormais de titre à la nouvelle. Pascal Blondel masque Maurice Merleau-Ponty (Pradelle dans les *Mémoires*), orphelin de père, très attaché à sa mère avec laquelle il vivait, ainsi qu'avec une sœur sans ressemblance avec Emma. La propriété de Meyrignac en Limousin est transformée en Sadernac, tandis que Béthary désigne Gagnepan où Simone de Beauvoir a séjourné deux fois, une des deux résidences des Lacoin dans les Landes avec Haubardin. Zaza est enterrée là, à Saint-Pandelon.

De quoi Zaza est-elle morte ?

D'une encéphalite virale, selon la froide objectivité scientifique. Mais quelle fatale concaténation remontant bien plus haut, enserrant dans ses mailles la totalité de son existence, l'a finalement livrée affaiblie, épuisée, désespérée, à la folie et à la mort ? Simone de Beauvoir aurait répondu : Zaza est morte d'avoir été exceptionnelle. On l'avait assassinée, sa mort était un « crime spiritualiste ».

Zaza est morte parce qu'elle a tenté d'être elle-même et qu'on l'a persuadée que cette prétention était un mal. Dans la bourgeoisie catholique militante où elle est née le 25 décembre 1907, dans sa famille aux traditions rigides, le devoir d'une fille consistait à s'oublier, se renoncer, s'adapter.

Parce que Zaza était exceptionnelle, elle n'a pu « s'adapter » – terme sinistre qui signifie s'encastrer dans le moule préfabriqué où un alvéole vous attend, parmi d'autres alvéoles : ce qui déborde sera comprimé, écrasé, jeté comme déchet. Zaza n'a pu s'encastrer, on a broyé sa singularité. Là est le crime, l'assassinat. Simone de Beauvoir se souvenait avec une sorte d'horreur de la prise d'une photo de famille à Gagnepan, chacun des neuf enfants rangé selon son âge, les six filles en uniforme robe de taffetas bleu, un identique chapeau de paille garni de bleuets sur la tête. Zaza avait là sa place qui l'attendait, de toute éternité, celle de la cadette des filles Lacoin. Fanatiquement, la jeune Simone avait refusé cette image. Non, Zaza n'était pas cela, elle était « l'unique ». L'émergence imprévue d'une liberté, c'est ce que niaient tous les credo de sa famille : le groupe l'investit sans relâche, elle est la proie des « devoirs sociaux ». Entourée d'une maisonnée de frères et sœurs, de cousins, d'amis, d'une vaste parentèle, dévorée par des tâches, des mondanités, des visites ou des divertissements collectifs, Zaza n'a pas un moment à elle, on ne la laisse jamais seule, ni seule avec son amie, elle ne s'appartient pas, on ne lui accorde aucun temps privé ni pour son violon, ni pour ses études, le privilège de la solitude lui est refusé. Les étés à Béthary sont pour cette raison un enfer pour elle. Elle étouffe, elle aspire tellement à échapper à cette omniprésence d'autrui – on songe à la mortification similaire imposée dans certains ordres religieux – qu'elle va jusqu'à s'entailler le pied à la hache pour échapper à une corvée particulièrement odieuse. Il s'agit dans ce milieu de ne pas se singulariser, non d'exister pour-soi mais d'exister-pour-les autres, « maman ne fait jamais rien pour elle, elle passe sa vie à se dévouer », dit-elle un jour. Sous l'imprégnation continue de ces traditions aliénantes, toute individualisation vivante est écrasée dans l'œuf. Or il n'est pas de pire scandale pour Simone de Beauvoir, et c'est ce que veut donner à voir la nouvelle, un scandale qu'on peut qualifier de philosophique puisqu'il attente à la condition humaine. L'affirmation de la valeur absolue de la subjectivité restera au cœur de sa pensée et de son œuvre, non pas de l'individu, simple numéro par rapport à un échantillon, mais de l'individualité unique, qui fait de chacun de nous « le plus irremplaçable des êtres » selon l'expression de Gide, l'existence de cette conscience-là, hic et nunc. « Aimez ce que jamais on ne verra deux fois. » Conviction inébranlable, originelle et que la réflexion philosophique étaiera : l'absolu se joue ici-bas, sur terre, pendant notre seule et unique existence. On comprend donc que dans l'histoire de Zaza, l'enjeu était suprême.

Quels ont été les ressorts de la tragédie ? Plusieurs données s'entrelacent en un faisceau, dont certaines sautent aux yeux : son adoration pour sa mère, dont le désaveu la déchire. Zaza a passionnément aimé sa mère, d'un amour jaloux, malheureux. Son élan se heurtait à une certaine froideur chez celle-ci, et sa seconde fille se sentait noyée dans la masse de la fratrie, une parmi d'autres. Avec habileté, Mme Lacoin n'usait pas son autorité à réprimer les turbulences de ses jeunes enfants, la laissant intacte pour mieux assurer son emprise sur eux quand se jouerait l'essentiel. L'aiguillage pour une fille mène au mariage ou au couvent, elle ne peut décider de son sort selon ses goûts et ses sentiments. C'est à la famille d'arranger les unions, en organisant des « entrevues », en sélectionnant les candidats selon ses intérêts idéologiques, religieux, mondains, financiers. On se mariait dans son milieu. Une première fois à 15 ans, Zaza s'est heurtée à ces dogmes mortifères : on trancha son amour pour son cousin Bernard par une séparation brutale, et voilà qu'une seconde fois, à 20 ans, on menace de la briser. Son choix de l'outsider Pascal Blondel, son espoir de l'épouser, autant d'incartades suspectes, inacceptables aux yeux du clan. Le drame de Zaza, c'est qu'au plus profond d'elle, un allié seconde sournoisement l'ennemi : elle n'a pas la force de contester une autorité sacrée et bien aimée dont la sanction la tue. Au moment même où le blâme maternel ronge sa confiance en soi et son goût de vivre, elle l'intériorise et va presque jusqu'à donner raison au juge qui la condamne. La répression exercée par Mme Lacoin est d'autant plus paradoxale qu'on devine une fissure dans le bloc de son conformisme : jeune, elle a semble-t-il été elle-même contrainte par sa mère à un mariage qui lui inspirait de la répulsion. Elle a dû « s'adapter » – c'est là qu'apparaît le mot atroce –, elle s'est reniée et, devenue une impériale matrone, a décidé de reproduire l'engrenage broyeur. Quelle frustration, quel ressentiment se dissimulaient-ils derrière son assurance ?

Le couvercle de la piété, ou plutôt du spiritualisme, a lourdement pesé sur la vie de Zaza. Elle a baigné dans une atmosphère saturée de religion :

issue d'une dynastie de catholiques militants, un père président de la Ligue des pères de familles nombreuses, une mère tenant une place éminente dans la paroisse de Saint-Thomas-d'Aquin, un de ses frères prêtre et une de ses sœurs religieuse. Tous les ans la famille se rend en pèlerinage à Lourdes. Ce que Simone de Beauvoir dénonce sous le nom de spiritualisme, c'est la « blancheur », la mystification qui consiste à voiler de l'aura du surnaturel des valeurs de classe fort terrestres. Bien entendu, les mystificateurs sont les premiers mystifiés. La référence automatique au religieux justifie tout. « Nous n'avons été que des instruments entre les mains de Dieu », dit M. Gallard après la mort de sa fille. On a fait plier Zaza parce qu'elle a intériorisé un catholicisme qui, pour le commun, n'est qu'une pratique commode et formelle. Sa qualité exceptionnelle encore une fois l'a desservie. Bien qu'elle ait percé à jour l'hypocrisie, les mensonges, l'égoïsme du « moralisme » de son milieu, dont les actes comme les pensées intéressées et mesquines trahissent constamment l'esprit des Évangiles, sa foi un moment ébranlée a persisté. Mais elle souffre d'un exil intérieur, de l'incompréhension de ses proches, de son isolement – elle qu'on ne laisse jamais seule – d'une solitude existentielle.

L'authenticité de ses exigences spirituelles ne sert qu'à la mortifier au sens propre du terme, à la torturer, en l'acculant à des contradictions intimes. Parce que, pour elle, la foi n'est pas, comme pour beaucoup, une complaisante instrumentation de Dieu, un moyen de se donner raison, de s'auto-justifier et de fuir ses responsabilités, mais le questionnement douloureux d'un Dieu silencieux, obscur, un Dieu caché. Bourreau de soi, elle se déchire : faut-il obéir, s'abêtir, se soumettre, s'oublier, comme le lui répète sa mère ? Ou faut-il désobéir, se révolter, revendiquer les dons et les talents qui vous sont octroyés, comme l'y encourage son amie ? Quelle est la volonté de Dieu ? Qu'attend-il d'elle ?

La hantise du péché a miné sa vitalité. Contrairement à son amie Sylvie, Andrée/Zaza est très avertie des choses du sexe. Mme Gallard, avec une brutalité presque sadique, a prévenu sa fille de 15 ans des crudités du mariage. La nuit de noces, n'a-t-elle pas caché, « c'est un mauvais moment à passer ». L'expérience de Zaza a démenti ce cynisme : elle connaît la magie de la sexualité, du trouble, les baisers qu'elle a échangés avec son petit ami Bernard n'étaient pas platoniques. Elle tourne en dérision la niaiserie des jeunes vierges qui l'entourent, l'hypocrisie des bien-pensants qui « blanchit », nie ou dissimule l'irruption des besoins crus d'un corps vivant. Mais inversement, elle se sait vulnérable à la tentation, et sa chaude sensualité, son tempérament ardent, son amour charnel de la vie sont empoisonnés par un excès de scrupules : dans le moindre de ses désirs elle soupçonne un péché, le péché de chair. Le remords, la peur, la culpabilité la bouleversent, et cette condamnation de soi renforce en elle la tentation du renoncement, le goût du néant et d'inquiétantes tendances autodestructrices. Elle finit par capituler devant sa mère et Pascal qui la persuadent du danger de longues fiançailles, et accepte de s'exiler en Angleterre alors que tout son être s'y refuse. Cette ultime féroce contrainte exercée contre elle-même précipite la catastrophe. Zaza est morte de toutes les contradictions qui l'écartelaient.

Dans cette nouvelle, le rôle de Sylvie, l'Amie, est seulement de faire comprendre Andrée. Comme l'a bien souligné Éliane Lecarme-Tabone, peu de ses souvenirs apparaissent, on ne sait rien de sa vie, de son combat personnel, de l'histoire mouvementée de son émancipation, et surtout de l'antagonisme fondamental entre les intellectuels et les bien-pensants – thème qui constitue l'axe des *Mémoires d'une jeune fille rangée* – n'est ici qu'esquissé. On comprend tout de même qu'elle est mal vue dans le milieu d'Andrée, à peine tolérée. Tandis que les Gallard jouissent d'une confortable aisance, sa propre famille, initialement de bonne bourgeoisie, s'est trouvée ruinée et déclassée après la guerre de 1914. Des humiliations feutrées ne lui sont pas épargnées dans le quotidien de ses séjours à Béthary : sa coiffure, sa garde-robe sont pointées du doigt, et Andrée, discrètement, suspend une jolie robe dans son armoire. Il y a plus grave : Mme Gallard se méfie d'elle, de cette jeune fille fourvoyée qui fait ses études à la Sorbonne, qui aura un métier, gagnera sa vie et son indépendance. La scène déchirante dans la cuisine où Sylvie révèle à Zaza, qui tombe des nues, ce qu'elle a représenté pour elle dans le passé – tout – marque le point où les rapports des deux amies s'inversent. Désormais, c'est Zaza qui aimera le plus. Devant Sylvie s'ouvre l'infini du monde, tandis qu'Andrée va vers la mort. Mais c'est Sylvie/Simone qui ressuscitera Andrée, avec tendresse et respect, la ressuscitera et lui rendra justice par la grâce de la littérature. Je ne peux m'abstenir de rappeler que chacune des quatre parties des *Mémoires d'une jeune fille rangée* se termine par les mots suivants : « Zaza », « raconterais », « la mort », « sa mort » ». Simone de Beauvoir se sent coupable, parce que survivre en un sens est une faute. Zaza a été la rançon, elle va même jusqu'à écrire dans des notes inédites « l'hostie », de son évasion. Mais pour nous, sa nouvelle ne remplit-elle pas la mission quasi sacrée qu'elle confiait aux mots : lutter contre le temps, lutter contre l'oubli, lutter contre la mort, « rendre justice à cette présence absolue de l'instant, à cette éternité de l'instant qui aura été à jamais » ?

Sylvie Le Bon de Beauvoir

# LES INSÉPARABLES

Si j'ai les larmes aux yeux, ce soir, est-ce parce que vous êtes morte, ou bien parce que moi, je vis ? Je devrais vous dédier cette histoire : mais je sais que vous n'êtes plus nulle part, et c'est par artifice littéraire que je vous parle ici. Au reste, ceci n'est pas vraiment votre histoire mais seulement une histoire inspirée de nous. Vous n'étiez pas Andrée, je ne suis pas cette Sylvie qui parle en mon nom.

# CHAPITRE 1

À neuf ans j'étais une petite fille très sage ; je ne l'avais pas toujours été ; pendant ma première enfance, la tyrannie des adultes me jetait dans des transes si furieuses qu'une de mes tantes déclara un jour sérieusement : « Sylvie est possédée du démon. » La guerre et la religion eurent raison de moi. Je fis tout de suite preuve d'un patriotisme exemplaire en piétinant un poupon en celluloïd « made in Germany » que d'ailleurs je n'aimais pas. On m'apprit qu'il dépendait de ma bonne conduite et de ma piété que Dieu sauvât la France : je ne pouvais pas me dérober. Je me promenais dans la basilique du Sacré-Cœur avec d'autres petites filles en agitant des oriflammes et en chantant. Je me mis à prier énormément et j'y pris goût. L'abbé Dominique qui était aumônier au collège Adélaïde encouragea ma ferveur. Vêtue d'une robe de tulle, coiffée d'une charlotte en dentelle d'Irlande, je fis ma communion privée : à partir de ce jour on put me citer en exemple à mes petites sœurs. J'obtins du ciel que mon père fût affecté au ministère de la Guerre, pour insuffisance cardiaque.

Ce matin-là pourtant j'étais surexcitée ; c'était la rentrée : j'avais hâte de retrouver le Collège, les classes solennelles comme des messes, le silence des corridors, le sourire attendri de ces demoiselles ; elles portaient des jupes longues, des corsages montants, et depuis qu'une partie de la maison avait été transformée en hôpital, elles s'habillaient souvent en infirmières ; sous le voile blanc taché de rouge, elles ressemblaient à des saintes et j'étais émue quand elles me pressaient sur leur sein. J'avalai précipitamment la soupe et le pain gris qui avaient remplacé le chocolat et les brioches d'avant-guerre et j'attendis avec impatience que maman eût fini d'habiller mes sœurs. Nous portions toutes les trois des manteaux bleu horizon, taillés dans du vrai drap d'officier et coupés exactement comme des capotes militaires.

« Regardez, il y a même une petite martingale ! » disait maman à ses amies admiratives ou étonnées. En sortant de l'immeuble, maman prit les deux petites par la main. Nous passâmes tristement devant le café de La Rotonde qui venait de s'ouvrir bruyamment au-dessous de notre appartement et qui était, disait papa, un repaire de défaitistes ; le mot m'intriguait : « Ce sont des gens qui croient à la défaite de la France », m'expliquait papa. « On devrait tous les fusiller. » Je ne comprenais pas. On ne fait pas exprès de croire ce qu'on croit : peut-on être puni parce que certaines idées vous viennent dans la tête ? Les espions qui distribuaient aux enfants des bonbons vénéneux, ceux qui dans les métros piquaient les femmes françaises avec des aiguilles empoisonnées méritaient évidemment la mort : mais les défaitistes me laissaient perplexe. Je n'essayai pas d'interroger maman : elle répondait toujours les mêmes choses que papa.

Mes petites sœurs ne marchaient pas vite ; la grille du Luxembourg me parut interminable. Enfin je passai la porte du collège, je montai l'escalier en balançant joyeusement mon cartable gonflé de livres neufs ; je reconnus la légère odeur de maladie qui se mélangeait à l'odeur d'encaustique dans les couloirs cirés de frais ; des surveillantes m'embrassèrent. Au vestiaire, je retrouvai mes compagnes de l'an passé ; je n'étais liée avec aucune en particulier, mais j'aimais le bruit que nous faisions toutes ensemble. Je m'attardai dans le grand hall, devant les vitrines pleines de vieilles choses mortes qui achevaient de mourir pour la seconde fois : les oiseaux empaillés perdaient leurs plumes, les plantes sèches s'effritaient, les coquillages se ternissaient. La cloche sonna, et j'entrai dans la salle Sainte-Marguerite ; toutes les salles de cours se ressemblaient. Les élèves s'asseyaient autour d'une table ovale, couverte de moleskine noire, que le professeur présidait ; nos mères s'installaient derrière nous et nous surveillaient en tricotant des passe-montagnes. Je me dirigeai vers mon tabouret et je vis que le siège voisin était occupé par une petite fille inconnue : une brune, aux joues creuses, qui me parut beaucoup plus jeune que moi ; elle avait des yeux sombres et brillants qui me fixèrent avec intensité.

— C'est vous la meilleure élève ?

— Je suis Sylvie Lepage, dis-je. Comment vous appelez-vous ?

— Andrée Gallard. J'ai neuf ans ; si j'ai l'air plus petite, c'est que je me suis brûlée vive et que je n'ai pas beaucoup grandi. J'ai dû interrompre mes études pendant un an mais maman veut que je rattrape mon retard. Pourrez-vous me prêter vos cahiers de l'année dernière ?

— Oui, dis-je.

L'assurance d'Andrée, son débit rapide et précis me déconcertaient. Elle m'examinait d'un air méfiant :

— Ma voisine m'a dit que vous étiez la meilleure élève, dit-elle en désignant Lisette d'un petit mouvement de tête. C'est vrai ?

— Je suis souvent première, dis-je avec modestie.

Je dévisageai Andrée ; ses cheveux noirs tombaient tout raides autour de son visage, elle avait une tache d'encre sur le menton. On ne rencontre pas tous les jours une petite fille qui a brûlé vive, j'aurais voulu lui poser un tas de questions, mais mademoiselle Dubois faisait son entrée, sa longue robe balayait le plancher ; c'était une femme vive et moustachue que je respectais beaucoup. Elle s'assit et appela nos noms ; elle leva les yeux sur Andrée :

— Alors, ma petite fille, nous ne nous sentons pas trop intimidée ?

— Je ne suis pas timide, Mademoiselle, dit Andrée d'une voix posée ; elle ajouta aimablement :

– D'ailleurs, vous n'êtes pas intimidante.

Mademoiselle Dubois hésita un instant, puis elle sourit sous sa moustache et continua l'appel.

La sortie des cours se déroulait selon un rite immuable ; Mademoiselle se postait dans l'embrasure de la porte, elle serrait la main de chaque mère et baisait au front chaque enfant. Elle posa sa main sur l'épaule d'Andrée :

– Vous n'avez jamais été en classe ?

– Non ; jusqu'ici je travaillais à la maison, mais maintenant je suis trop grande.

– J'espère que vous marcherez sur les traces de votre sœur aînée, dit Mademoiselle.

– Oh ! nous sommes très différentes, dit Andrée. Malou tient de papa, elle adore les mathématiques, moi j'aime surtout la littérature.

Lisette me poussa du coude ; on ne pouvait pas dire qu'Andrée fût impertinente, mais elle n'avait pas le ton qu'il faut pour parler à un professeur.

– Vous savez où est la salle d'étude des externes ? Si on ne vient pas vous chercher tout de suite, c'est là qu'il faut vous installer en attendant, dit Mademoiselle.

– On ne vient pas me chercher, je rentre seule, dit Andrée ; elle ajouta vivement :

– Maman a prévenu.

— Seule ? dit mademoiselle Dubois ; elle haussa les épaules :

— Enfin, si votre maman a prévenu…

Elle m'embrassa à mon tour sur le front, et je suivis Andrée vers le vestiaire ; elle enfila son manteau : un manteau moins original que le mien, mais très joli ; en ratine rouge avec des boutons dorés ; ce n'était pas une gamine des rues, comment lui permettait-on de sortir seule ? Est-ce que sa mère ignorait le danger des bonbons vénéneux, des aiguilles empoisonnées ?

— Où habitez-vous, ma petite Andrée ? demanda maman comme nous descendions l'escalier avec mes petites sœurs.

— Rue de Grenelle.

— Eh bien ! Nous allons vous accompagner jusqu'au boulevard Saint-Germain, dit maman. C'est notre chemin.

— Alors ce sera avec plaisir, dit Andrée, mais ne vous dérangez pas pour moi.

Elle regarda Maman d'un air sérieux :

— Vous comprenez, Madame, nous sommes sept frères et sœurs ; maman dit que nous devons apprendre à nous débrouiller seuls.

Maman hocha la tête, mais visiblement, elle désapprouvait.

Aussitôt dans la rue, je questionnai Andrée :

— Comment vous êtes-vous brûlée ?

— En faisant cuire des pommes de terre, sur un feu de camp ; ma robe s'est enflammée et j'ai eu la cuisse droite grillée jusqu'à l'os.

Andrée eut un petit geste impatient, cette vieille histoire l'ennuyait.

— Quand pourrai-je voir vos cahiers ? Il faut que je sache ce que vous avez étudié l'année dernière. Dites-moi où vous habitez et je viendrai chez vous cet après-midi ; ou bien demain.

Je consultai maman du regard ; au Luxembourg, on me défendait de jouer avec les petites filles que je ne connaissais pas.

— Cette semaine, ce n'est pas possible, dit maman avec gêne. Nous verrons ça samedi.

— Bien ; j'attendrai jusqu'à samedi, dit Andrée.

Je la regardai traverser le boulevard, dans son manteau de ratine rouge ; elle était vraiment très petite, mais elle marchait avec une assurance de grande personne.

— Ton oncle Jacques connaissait des Gallard qui étaient apparentés aux Lavergne, les cousins des Blanchard, dit maman d'une voix rêveuse. Je me demande si c'est la même famille. Mais il me semble que des gens comme il faut ne laisseraient pas une gamine de neuf ans courir les rues.

Mes parents discutèrent longtemps sur les diverses branches des diverses familles Gallard dont ils avaient de près ou de loin entendu parler. Maman se renseigna auprès de ces demoiselles. Les parents d'Andrée n'avaient avec les Gallard de l'oncle Jacques que des liens très vagues, mais c'était des gens tout à fait bien. M. Gallard sortait de Polytechnique, il avait une belle situation chez Citroën, et il présidait la Ligue des pères de familles nombreuses ; sa femme, née Rivière de Bonneuil, appartenait à une grande dynastie de catholiques militants, et elle était hautement respectée par les paroissiennes de Saint-Thomas-d'Aquin. Avisée sans doute des hésitations de ma mère, madame Gallard vint chercher Andrée le samedi suivant à la sortie du cours. C'était une belle femme aux yeux sombres qui portait autour de son cou un velours noir fermé par un bijou ancien ; elle fit la conquête de maman en lui disant qu'elle paraissait ma sœur aînée et en l'appelant « Petite madame ». Moi, je n'aimais pas son collier de velours.

Madame Gallard avait complaisamment raconté à maman le martyre d'Andrée : la chair crevassée, les énormes cloques, les pansements à l'ambrine, les délires d'Andrée, son courage ;

un petit camarade lui avait donné en jouant un coup de pied qui avait rouvert ses plaies : elle avait fait un tel effort pour ne pas crier qu'elle s'était évanouie. Quand elle vint à la maison regarder mes cahiers, je la considérai avec respect ; elle prenait des notes, d'une jolie écriture déjà formée, et je pensais à sa cuisse boursouflée, sous la petite jupe à plis. Jamais il ne m'était rien arrivé d'aussi intéressant. J'avais soudain l'impression qu'il ne m'était jamais rien arrivé du tout.

Tous les enfants que je connaissais m'ennuyaient ; mais Andrée me faisait rire, quand nous nous promenions entre les classes dans la cour de récréation ; elle imitait à merveille les gestes brusques de mademoiselle Dubois, la voix onctueuse de mademoiselle Vendroux, la directrice ; elle connaissait par sa sœur aînée un tas de petits secrets sur la maison : ces demoiselles étaient affiliées à l'ordre des jésuites, elles portaient la raie sur le côté tant qu'elles n'étaient encore que novices, la raie au milieu lorsqu'elles avaient prononcé leurs vœux. Mademoiselle Dubois qui n'avait que trente ans était la plus jeune : elle avait passé son bachot l'année précédente, de grandes élèves l'avaient vue à la Sorbonne, rougissante et tout embarrassée de ses jupes. J'étais un peu scandalisée par l'irrévérence d'Andrée, mais je la trouvais drôle, et lui donnais la réplique quand elle improvisait un dialogue entre deux de nos professeurs. Ses caricatures étaient si justes que souvent pendant le cours nous nous poussions du coude en voyant mademoiselle Dubois ouvrir un registre ou fermer un livre ; une fois même je fus prise d'un tel fou rire qu'on m'aurait sûrement mise à la porte de la classe si l'ensemble de ma conduite n'avait été si édifiant.

Les premières fois que j'allai jouer chez Andrée, je fus effarée ; outre ses frères et sœurs, il y avait toujours rue de Grenelle des ribambelles de cousins et de petits amis ; ils couraient, criaient, chantaient, se déguisaient, ils sautaient sur des tables, ils renversaient des meubles ; quelquefois Malou qui avait quinze ans et qui faisait son importante intervenait, mais on entendait aussitôt la voix de madame Gallard : « Laisse ces enfants s'amuser. » Je m'étonnais de son indifférence aux plaies, aux bosses, aux taches, aux assiettes cassées. « Maman ne se fâche jamais », me disait Andrée avec un sourire victorieux. À la fin de l'après-midi, madame Gallard entrait en souriant dans la pièce que nous avions saccagée ; elle relevait une chaise, elle épongeait le front d'Andrée : « Te voilà encore

33

en nage ! » Andrée se serrait contre elle et pendant un instant son visage se transformait : je détournais les yeux avec un malaise où il entrait sans doute de la jalousie, peut-être de l'envie, et cette espèce de peur qu'inspirent les mystères.

On m'avait appris que je devais aimer également papa et maman : Andrée ne cachait pas qu'elle préférait sa mère à son père. « Papa est trop sérieux », me dit-elle un jour avec tranquillité. M. Gallard me déconcertait parce qu'il ne ressemblait pas à papa. Mon père n'allait jamais à la messe, et il souriait quand on parlait devant lui des miracles de Lourdes ; je l'avais entendu dire qu'il n'avait qu'une religion : l'amour de la France. Je n'étais pas gênée par son impiété ; maman qui était très pieuse semblait la trouver normale ; un homme aussi supérieur que papa avait forcément avec Dieu des rapports plus compliqués que les femmes et les petites filles. M. Gallard au contraire communiait chaque dimanche en famille, il avait une longue barbe, des lorgnons et pendant ses loisirs il s'occupait d'œuvres sociales. Ses poils soyeux, ses vertus chrétiennes le féminisaient et le rabaissaient à mes yeux. D'ailleurs, on ne le voyait que dans de rares circonstances. C'était madame Gallard qui gouvernait la maison. J'enviais la liberté qu'elle laissait à Andrée, mais bien qu'elle me parlât toujours avec la plus grande affabilité, j'étais mal à l'aise devant elle.

Quelquefois Andrée me disait : « Je suis fatiguée de jouer. » Nous allions nous asseoir dans le bureau de M. Gallard, nous n'allumions pas, pour qu'on ne nous découvrît pas, et nous causions : c'était un plaisir neuf. Mes parents me parlaient et moi je leur parlais, mais nous ne causions pas ensemble ; avec Andrée, j'avais de vraies conversations, comme papa le soir avec maman. Elle avait lu beaucoup de livres, pendant sa longue convalescence, et elle m'étonna, parce qu'elle avait l'air de croire que les histoires qu'ils racontaient étaient vraiment arrivées : elle détestait Horace et Polyeucte, elle admirait Don Quichotte et Cyrano de Bergerac, comme s'ils avaient existé en chair et en os. Touchant les siècles passés, elle avait aussi des partis pris décidés. Elle aimait les Grecs, les Romains l'ennuyaient ; insensible aux malheurs de Louis XVII et de sa famille, la mort de Napoléon la bouleversait.

Beaucoup de ces opinions étaient subversives, mais vu son jeune âge, ces demoiselles les lui pardonnaient. « Cette enfant a de la personnalité », disait-on au collège. Andrée rattrapait rapidement son

35

retard, je la battais de justesse aux compositions et elle eut l'honneur de recopier deux de ses rédactions sur le livre d'or. Elle jouait si bien du piano qu'on la mit d'emblée dans la catégorie des moyennes ; elle commença aussi à prendre des leçons de violon. Elle n'aimait pas coudre, mais elle était adroite ; elle confectionnait avec compétence des caramels, des sablés, des truffes au chocolat ; bien que frêle, elle savait faire la roue, le grand écart, et toute espèce de culbutes. Mais ce qui lui prêtait à mes yeux le plus grand prestige, c'était certains traits singuliers dont je ne connus jamais le sens : quand elle apercevait une pêche ou une orchidée, ou si simplement on en prononçait devant elle le nom, Andrée frissonnait, ses bras se hérissaient de chair de poule ; alors se manifestait de la façon la plus troublante ce don qu'elle avait reçu du ciel et qui m'émerveillait : la personnalité. En secret je me disais qu'Andrée était sûrement une de ces enfants prodiges dont plus tard on raconte la vie dans les livres.

\*\*\*

La plupart des élèves du collège quittèrent Paris vers le milieu de juin à cause des bombes et de la grosse Bertha.

Les Gallard partirent pour Lourdes ; tous les ans ils participaient à un grand pèlerinage ; le fils était brancardier, les filles aînées lavaient la vaisselle avec leur mère dans les cuisines d'un hospice ; j'admirais qu'on confiât à Andrée ces besognes d'adulte, je l'en respectais encore davantage. Cependant j'étais fière de l'héroïque entêtement de mes parents : en demeurant à Paris, nous montrions à nos vaillants poilus que les civils « tenaient ». Je restai seule dans ma classe avec une grande idiote de douze ans et je me sentis importante. Un matin, quand j'arrivai au collège, les professeurs et les élèves étaient réfugiés dans la cave : à la maison nous en rîmes longtemps. Pendant les alertes, nous ne descendions pas à la cave ; les locataires des étages supérieurs venaient s'abriter chez nous, ils dormaient sur des canapés dans l'antichambre. Toute cette agitation me plaisait.

Je partis pour Sadernac à la fin de juillet avec maman et mes sœurs. Grand-père qui se rappelait le siège de 71 s'imaginait qu'à Paris nous mangions du rat : pendant deux mois il nous gava de poulet et de clafoutis. Je passais des journées heureuses. Il y avait au salon une bibliothèque pleine de vieux livres aux feuillets piqués de rouille ; les ouvrages interdits étaient relégués tout en haut et on me permettait de fouiller librement sur les rayons inférieurs. Je lisais, je jouais avec mes sœurs, je me promenais. Je me promenai beaucoup cet été-là. Je marchais dans les châtaigneraies en me blessant les doigts aux fougères, je cueillais au long des chemins creux des bouquets de chèvrefeuille et de fusain, je goûtai les mûres, les arbouses, les cornouilles, les baies acides de l'épine-vinette, je respirai l'odeur houleuse des blés noirs en fleurs, je me collai à la terre pour surprendre l'odeur intime des bruyères. Et puis je m'asseyais dans le grand pré, au pied des peupliers argentés, et j'ouvrais un roman de Fenimore Cooper. Quand le vent soufflait, les peupliers murmuraient. Le vent m'exaltait. Il me semblait que d'un bout de la terre à l'autre les arbres se parlaient entre eux et parlaient à Dieu ; c'était une musique et une prière qui traversaient mon cœur avant de monter au ciel.

Mes plaisirs étaient innombrables, mais difficiles à raconter ; je n'envoyai à Andrée que de brèves cartes postales ; elle ne m'écrivit guère non plus ; elle était dans les Landes, chez sa grand-mère maternelle, elle faisait du cheval, elle s'amusait beaucoup ; elle ne rentrerait à Paris qu'à la mi-octobre. Je ne pensais pas souvent à elle. Pendant les vacances, je ne pensais presque jamais à ma vie de Paris.

Je versai quelques larmes en disant adieu aux peupliers : je vieillissais, je devenais sentimentale. Mais dans le train, je me rappelai combien j'aimais les rentrées. Papa nous attendait sur le quai de la gare dans son uniforme bleu horizon, il disait que la guerre allait bientôt finir. Les livres de classe semblaient encore plus neufs que les autres années : ils étaient plus gros, plus beaux, ils craquaient sous les doigts, ils sentaient bon ; il y avait dans les jardins du Luxembourg une émouvante odeur de feuilles mortes et d'herbes brûlées ; ces demoiselles m'embrassèrent avec effusion et mes devoirs de vacances me valurent les plus grands éloges ; pourquoi est-ce que je me sentais misérable ? Le soir, après le dîner, je m'installais dans l'antichambre, je lisais ou j'écrivais des histoires sur un cahier ; mes sœurs dormaient, au fond du corridor papa faisait la lecture à maman : c'était un des meilleurs moments de la journée. Voilà que je restais couchée sur la moquette rouge, sans rien faire, hébétée. Je regardais l'armoire normande et l'horloge en bois sculpté qui enfermait dans son ventre deux pommes de pin cuivrées et les ténèbres du temps ; dans le mur s'ouvrait la bouche du calorifère : à travers le treillis doré on sentait la tiédeur d'un souffle nauséabond qui montait des abîmes. Toute cette obscurité et ces choses muettes autour de moi me firent brusquement peur. J'entendais la voix de papa ; je connaissais le titre du livre : *L'Essai sur l'inégalité des races humaines* par le comte de Gobineau ; l'année précédente, c'était *Les Origines de la France contemporaine* de Taine. L'année prochaine, il commencerait un nouveau livre, et moi je serais encore là, entre l'armoire et l'horloge. Combien d'années ? combien de soirs ? Vivre n'était que cela : tuer une journée après une autre ? allais-je m'ennuyer ainsi jusqu'à ma mort ? Je me dis que je regrettais Sadernac ; avant de m'endormir je dédiai encore quelques larmes aux peupliers.

Deux jours plus tard, j'appris en un éclair la vérité. J'entrai dans la salle Sainte-Catherine et Andrée me sourit ; je souris aussi et je lui tendis la main :

— Depuis quand êtes-vous revenue ?

— Hier soir.

Andrée me regarda avec un peu de malice :

— Bien sûr vous étiez là le jour de la rentrée ?

– Oui, dis-je. Vous avez passé de bonnes vacances ? ajoutai-je.

– Très bonnes, et vous ?

– Très bonnes.

Nous disions des banalités, comme de grandes personnes ; mais je comprenais soudain, avec stupeur et joie, que le vide de mon cœur, le goût morne de mes journées n'avaient eu qu'une cause : l'absence d'Andrée. Vivre sans elle, ce n'était plus vivre. Mademoiselle de Villeneuve s'assit sur sa cathèdre et je me répétai : « Sans Andrée, je ne vis plus. » Ma joie se mua en angoisse : mais alors, me demandai-je, que deviendrais-je si elle mourait ? Je serais assise sur ce tabouret, la directrice entrerait, elle dirait d'une voix grave : « Prions, mes enfants, votre petite compagne Andrée Gallard a été rappelée à Dieu la nuit dernière. » Eh bien ! c'est simple, décidai-je, je glisserais de mon tabouret et je tomberais morte aussi. L'idée ne me faisait pas peur parce que nous nous serions aussitôt retrouvées aux portes du ciel.

Le 11 novembre on fêta l'armistice, dans la rue les gens s'embrassaient. Pendant quatre ans j'avais prié pour que ce grand jour arrivât et j'en attendais d'étonnantes métamorphoses ; de brumeux souvenirs me revenaient au cœur. Papa reprit ses

vêtements civils, mais rien d'autre ne se produisit ;
il parlait sans cesse d'un certain capital dont les
bolcheviks l'avaient dépouillé ; ces hommes lointains, dont le nom ressemblait dangereusement à
celui des Boches, paraissaient doués de terribles
pouvoirs ; et puis Foch s'était bien laissé manœu-
vrer : il aurait fallu aller jusqu'à Berlin. Papa augu-
rait si mal de l'avenir qu'il n'osa pas rouvrir son
cabinet d'affaires ; il trouva une place dans une
agence d'assurances, mais il annonça qu'il fallait
réduire notre train de vie. Maman renvoya Élisa,
qui d'ailleurs se conduisait mal– elle sortait le soir
avec des pompiers– et elle se chargea de tous les
travaux du ménage ; le soir elle était maussade,
papa aussi ; mes sœurs pleuraient souvent. Moi,
tout m'était égal parce que j'avais Andrée.

Andrée grandissait et se fortifiait ; je cessai de
penser qu'elle pouvait mourir ; mais un autre
danger me menaçait : le collège ne voyait pas
d'un bon œil notre amitié. Andrée était une élève
brillante, je ne conservais la première place que
parce qu'elle dédaignait de l'occuper ; j'admirais sa désinvolture sans être capable de l'imiter.
Cependant elle avait perdu la faveur de ces demoiselles. Elles la jugeaient paradoxale, ironique,
orgueilleuse, elles lui reprochaient d'avoir mauvais

esprit ; elles ne réussissaient jamais à la prendre en flagrant délit d'insolence parce qu'Andrée gardait soigneusement ses distances, et c'est là peut-être ce qui les irritait le plus. Elles marquèrent un point le jour de l'audition de piano. La salle des fêtes était pleine : aux premiers rangs, les élèves vêtues de leurs plus belles robes, bouclées, frisées, avec des nœuds dans les cheveux ; derrière elles, professeurs et surveillantes, en corsages de soie, gantées de blanc ; au fond les parents et leurs invités. Andrée, déguisée d'une robe de taffetas bleu, exécuta un morceau que sa mère trouvait trop difficile pour elle et dont elle massacrait d'ordinaire quelques mesures ; j'étais émue, en sentant tous ces regards plus ou moins malveillants braqués sur elle, comme elle abordait le passage épineux ; elle le joua sans une faute, et jetant à sa mère un coup d'œil triomphant, elle lui tira la langue. Toutes les petites filles frémirent sous leurs boucles ; des mères toussèrent avec scandale, ces demoiselles échangèrent des regards et la directrice devint très rouge. Quand Andrée descendit de l'estrade, elle courut vers sa mère qui l'embrassa en riant de si bon cœur que mademoiselle Vendroux n'osa pas la gronder. Mais à peu de jours de là, elle se plaignit à maman de la mauvaise influence qu'Andrée exerçait sur moi : nous bavardions en classe, je ricanais, je me dissipais ; elle parla de nous séparer pendant les cours et je passai une semaine dans l'angoisse. Madame Gallard, qui appréciait mon zèle studieux, convainquit facilement maman de nous laisser en paix, et comme elles étaient d'excellentes clientes, maman ayant trois filles, madame Gallard six et beaucoup d'entregent, nous continuâmes à nous asseoir l'une à côté de l'autre comme par le passé.

Andrée aurait-elle été triste si on nous avait empêchées de nous voir ? Moins que moi, assurément. On nous appelait les deux inséparables et elle me préférait à toutes nos camarades. Mais il me semblait que l'adoration qu'elle avait pour sa mère devait faire pâlir ses autres sentiments. Sa famille comptait énormément pour elle ; elle passait de longs moments à amuser les petites jumelles, à baigner, à habiller ces masses de chair confuse ; elle trouvait un sens à leurs balbutiements, à leurs mimiques incertaines, elle les cajolait avec amour. Et puis il y avait la musique qui tenait une grande place dans sa vie. Quand elle s'asseyait au piano, quand elle installait son violon au creux de son cou et qu'elle écoutait avec recueillement le chant qui naissait sous ses doigts, je croyais l'entendre se parler à elle-même : auprès de ce long dialogue qui se poursuivait secrètement dans son cœur, nos conversations me paraissaient bien puériles. Quelquefois madame Gallard, qui jouait très bien du piano, accompagnait le morceau qu'Andrée exécutait au violon, et alors je me sentais tout à fait exclue. Non, notre amitié n'avait pas la même importance pour Andrée que pour moi, mais je l'admirais bien trop pour en souffrir.

Mes parents quittèrent l'année suivante l'appartement du boulevard Montparnasse, ils emménagèrent rue Cassette dans un logement exigu où je n'eus plus un seul coin à moi. Andrée me convia à venir travailler chez elle aussi souvent que je le voudrais. Chaque fois que j'entrais dans sa chambre, j'étais si émue que j'avais envie de faire un signe de croix. Il y avait au-dessus du lit un crucifix avec du buis, en face une sainte Anne de Vinci ; sur la cheminée un portrait de madame Gallard et une photographie du château de Béthary ; sur des rayons, la bibliothèque personnelle d'Andrée : *Don Quichotte*, les *Voyages de Gulliver*, *Eugénie Grandet*, le roman de *Tristan et Yseult* dont elle savait des passages par cœur ; elle aimait d'ordinaire des livres réalistes ou satiriques : sa prédilection pour cette épopée amoureuse me déconcertait. J'interrogeais anxieusement les murs et les objets qui entouraient Andrée. J'aurais voulu comprendre ce qu'elle se disait, quand elle promenait son archet sur les cordes de son violon. J'aurais voulu savoir pourquoi avec tant d'affections au cœur, tant d'occupations, tant de dons, elle avait souvent un air lointain et qui me paraissait mélancolique. Elle était très pieuse. Quand j'allais prier à la chapelle, il m'arrivait de la surprendre à genoux au pied de l'autel, la tête dans ses mains, ou bien les bras tendus devant une station du chemin de croix. Pensait-elle à entrer plus tard en religion ? Pourtant elle tenait à sa liberté et aux joies de ce monde. Ses yeux brillaient quand elle me racontait ses vacances : elle passait des heures à galoper à cheval à travers les forêts de pins dont les branches basses lui écorchaient le visage, elle nageait dans les eaux mortes des étangs, dans les eaux vives de l'Adour. Était-ce à ce paradis qu'elle rêvait quand elle restait immobile devant ses cahiers, le regard perdu ? Un jour elle s'aperçut que je l'observais et elle rit avec embarras :

— Vous trouvez que je perds mon temps ?

— Moi ? Pas du tout !

Andrée m'examina d'un air un peu narquois :

— Ça ne vous arrive jamais, vous, de rêver à des choses ?

— Non, dis-je avec humilité.

À quoi aurais-je rêvé ? J'aimais Andrée par-dessus tout et elle était auprès de moi.

Je ne rêvais pas, je savais toujours mes leçons, je m'intéressais à tout ; Andrée se moquait un peu de moi ; elle se moquait plus ou moins de tout le monde ; j'acceptais avec bonne humeur ses railleries. Une fois pourtant, elles me blessèrent à vif. Cette année-là, exceptionnellement, je passai les vacances de Pâques à Sadernac. Je découvris le printemps et je fus éblouie. Je m'installai à une table de jardin, devant du papier blanc, et pendant deux heures je décrivis à Andrée l'herbe neuve piquée de coucous et de primevères, l'odeur des glycines, le bleu du ciel et les grands mouvements de mon âme. Elle ne me répondit pas. Quand je la retrouvai dans le vestiaire du collège, je lui demandai avec reproche :

— Pourquoi ne m'avez-vous pas écrit ? Est-ce que vous n'avez pas reçu ma lettre ?

— Je l'ai reçue, dit André.

— Alors vous êtes une sale paresseuse ! dis-je.

Andrée se mit à rire :

— J'ai pensé que vous m'aviez envoyé par erreur un devoir de vacances...

Je me sentis rougir :

— Un devoir ?

— Allons, vous n'avez pas pondu toute cette littérature pour moi toute seule ! dit Andrée. Je suis sûre que c'est le brouillon d'une rédaction : « Décrivez le printemps. »

— Non, dis-je. C'était sans doute de la mauvaise littérature, mais j'ai écrit cette lettre pour vous toute seule.

Les petites Boulard s'approchaient, curieuses et volubiles, et nous en restâmes là. Mais en classe je m'embrouillai dans mon explication latine. Andrée avait trouvé ma lettre ridicule, ça me peinait ; mais surtout, elle ne soupçonnait pas à quel point j'avais besoin de tout partager avec elle ; c'était là ce qui me désolait le plus : elle ignorait absolument, je venais de m'en rendre compte, les sentiments que je lui portais.

Nous sortîmes ensemble du Collège ; maman ne m'y accompagnait plus et je revenais d'ordinaire avec Andrée ; soudain elle me prit par le coude : c'était un geste insolite, nous nous tenions toujours à distance :

— Sylvie, je regrette ce que je vous ai dit tout à l'heure, dit-elle avec élan ; c'était pure méchanceté : je sais très bien que votre lettre n'était pas un devoir de vacances.

– Je suppose qu'elle était ridicule, dis-je.

– Pas du tout ! La vérité, c'est que j'étais d'une humeur massacrante le jour où je l'ai reçue, et vous aviez l'air si jubilante !

– Pourquoi étiez-vous de mauvaise humeur ? demandai-je.

Andrée garda un moment le silence :

– Comme ça, pour rien ; pour tout.

Elle hésita :

– Je suis fatiguée d'être une enfant, dit-elle brusquement. Vous ne trouvez pas que ça n'en finit pas ?

Je la regardai avec étonnement ; Andrée était bien plus libre que moi ; et moi, bien que la maison ne fût pas gaie, je ne souhaitais pas du tout vieillir. L'idée que j'avais déjà treize ans m'effrayait.

– Non, dis-je. Ça me semble si monotone la vie des grandes personnes ; toutes les journées sont pareilles, on n'apprend plus rien…

– Ah ! il n'y a pas que les études qui comptent dans l'existence, dit Andrée avec impatience.

J'aurais voulu protester : « Il n'y a pas que les études, il y a vous. » Mais nous avons changé de conversation. Je me disais avec détresse : dans les livres les gens se font des déclarations d'amour, de haine, ils osent raconter tout ce qui leur passe dans le cœur ; pourquoi est-ce impossible dans la vie ? Je marcherais deux jours et deux nuits sans manger ni boire pour voir Andrée une heure, pour lui épargner une peine : et elle n'en sait rien !

Pendant plusieurs jours je remâchai tristement ces pensées, et j'eus une illumination : je ferais un cadeau à Andrée pour son anniversaire.

Les parents sont imprévisibles ; d'ordinaire, maman trouvait a priori mes initiatives absurdes ; l'idée de ce cadeau fut agréée. Je décidai de confectionner, d'après un patron de *La Mode pratique*, un sac à main qui serait le comble du luxe. Je choisis une soie rouge et bleue, brochée d'or, épaisse et chatoyante, qui me semblait belle comme un conte. Je la montai sur une armature de sparterie que je fabriquai moi-même. Je détestais coudre, mais je m'appliquai tant qu'une fois achevée, la pochette avait vraiment belle apparence avec sa doublure en satin cerise, ses soufflets. Je l'enveloppai de papier de soie, je la couchai dans un carton que je ficelai avec une faveur. Le jour où Andrée eut treize ans, maman vint avec moi au goûter d'anniversaire ; il y avait déjà du monde, et je me sentis intimidée en tendant le carton à Andrée :

— C'est pour votre anniversaire, dis-je.

Elle me regarda avec surprise et j'ajoutai :

– Je l'ai fait moi-même.

Elle déballa le petit sac rutilant et un peu de sang monta à ses joues :

– Sylvie ! C'est une merveille ! Que vous êtes gentille !

Il me sembla que si nos mères n'avaient pas été là, elle m'aurait embrassée.

– Remercie aussi madame Lepage, dit madame Gallard de sa voix affable. Parce que c'est certainement elle qui s'est donné toute la peine…

– Merci Madame, dit Andrée brièvement. Et de nouveau elle me sourit d'un air ému. Pendant que maman protestait faiblement, je sentis un petit choc au creux de l'estomac. Je venais de réaliser que madame Gallard ne m'aimait plus.

\*\*\*

J'admire aujourd'hui la perspicacité de cette femme vigilante : le fait est que j'étais en train de changer. Je commençais à trouver nos institutrices fort sottes, je m'amusais à leur poser des questions embarrassantes, je leur tenais tête, j'accueillais leurs observations avec impertinence. Maman me grondait un peu, mais papa, quand je lui racontais mes démêlés avec ces demoiselles, riait ; ce rire m'évitait tout scrupule ; d'autre part je n'imaginai pas un instant que Dieu pût être offensé par mes incartades. Quand je me confessais, je ne m'embarrassais pas d'enfantillages. Je communiais plusieurs fois par semaine, et l'abbé Dominique m'encourageait sur les chemins de la contemplation mystique : ma vie profane n'avait rien à voir avec cette aventure sacrée. Les fautes dont je m'accusais concernaient surtout mes états d'âme : j'avais manqué de ferveur, oublié trop longtemps la présence divine, prié distraitement, pensé à moi avec trop de complaisance. Je venais d'achever l'exposé de ces défaillances quand j'entendis à travers le judas la voix de l'abbé Dominique :

— Est-ce bien tout ?

Je restai interdite.

— On m'a rapporté que ma petite Sylvie n'est plus la même qu'autrefois, dit la voix. Il paraît qu'elle est devenue dissipée, désobéissante, insolente.

Mes joues s'étaient embrasées et je n'arrivai pas à m'arracher un mot.

— À partir d'aujourd'hui, il faudra prendre garde à ces choses, dit la voix. Nous en parlerons ensemble.

L'abbé Dominique me donna l'absolution, et je sortis du confessionnal, la tête en feu ; je m'enfuis de la chapelle sans faire ma pénitence. J'étais beaucoup plus bouleversée que le jour où dans un métro, un homme avait entrouvert son pardessus pour me montrer quelque chose de rose.

Pendant huit ans je m'étais agenouillée devant l'abbé Dominique comme on s'agenouille devant Dieu : et ce n'était qu'un vieil homme cancanier, qui papotait avec ces demoiselles et qui prenait leurs ragots au sérieux. J'avais honte de lui avoir ouvert mon âme : il m'avait trahie. Désormais, quand j'apercevais dans un corridor sa robe noire, je rougissais et je m'enfuyais.

Pendant la fin de l'année et l'année suivante, je me confessai à des vicaires de Saint-Sulpice ; j'en changeai souvent. Je continuai à prier et à méditer mais pendant les vacances, la lumière se fit en moi. J'aimais toujours Sadernac, et comme autrefois, je m'y promenais beaucoup ; mais à présent les mûres et les noisettes des haies m'ennuyaient, j'avais envie de goûter le lait des euphorbes, de mordre dans ces baies vénéneuses qui ont la couleur du minium et qui portent le beau nom énigmatique de sceau de Salomon. Je faisais quantité de choses défendues : je mangeais des pommes entre les repas, je prenais en cachette les romans d'Alexandre Dumas sur les rayons supérieurs de la bibliothèque ; j'avais sur le mystère des naissances d'instructives conversations avec la fille d'un métayer ; la nuit, dans mon lit, je me racontais de drôles d'histoires qui me mettaient dans de drôles d'états. Un soir, couchée dans un pré mouillé, face à la lune, je me dis « Ce sont des péchés ! » et pourtant j'étais fermement décidée à continuer de manger, lire, parler, rêver selon mon bon plaisir. « Je ne crois pas en Dieu ! » me dis-je. Comment croire en Dieu et choisir délibérément de lui désobéir ? Je restai un moment abasourdie par cette évidence : je ne croyais pas.

Ni papa ni les écrivains que j'admirais ne croyaient ; et sans doute, le monde ne s'expliquait-il pas sans Dieu, mais Dieu n'expliquait pas grand-chose, de toute façon on n'y comprenait rien. Je m'accommodai facilement de mon nouvel état. Cependant, quand je me retrouvai à Paris, je fus saisie de panique. On ne peut pas s'empêcher de penser ce qu'on pense : pourtant, papa parlait autrefois de fusiller les défaitistes et un an plus tôt, une grande élève avait été chassée du collège parce que, chuchotait-on, elle avait perdu la foi. Il me fallait cacher soigneusement ma disgrâce ; la nuit, je me réveillais en sueur à l'idée qu'Andrée pût la soupçonner.

Heureusement nous ne parlions jamais ni de sexualité ni de religion. Beaucoup d'autres problèmes s'étaient mis à nous préoccuper. Nous étudiions la Révolution française ; nous admirions Camille Desmoulins, Madame Roland, et même Danton. Nous discutions à perte de vue sur la justice, l'égalité, la propriété. Là-dessus l'opinion de ces demoiselles comptait pour zéro et nos parents avaient des idées arrêtées qui ne nous satisfaisaient plus. Mon père lisait volontiers *L'Action française*. M. Gallard était plus démocrate, il avait été intéressé dans sa jeunesse par Marc Sangnier ; mais il n'était plus jeune et il expliquait à Andrée que tout socialisme entraîne nécessairement un nivellement par le bas et l'abolition des valeurs spirituelles. Il ne nous convainquait pas, mais certains de ses arguments nous inquiétaient. Nous avons essayé de discuter avec les amies de Malou, de grandes jeunes filles qui auraient dû en savoir plus long que nous ; mais elles pensaient comme M. Gallard et ces questions les intéressaient peu. Elles préféraient parler de musique, de peinture, de littérature, sottement d'ailleurs. Malou nous demandait souvent, quand elle recevait, de venir servir le thé, mais elle sentait que nous avions peu d'estime pour ses invitées, et elle essayait par représailles de prendre des supériorités sur Andrée. Une après-midi, Isabelle Barrière, qui était amoureuse, très idéalement, de son professeur de piano – un homme marié et père de trois enfants – mit la conversation sur les romans d'amour ; tour à tour, Malou, la cousine Guite, les sœurs Gosselin indiquèrent leurs préférences.

– Et toi, Andrée ? demanda Isabelle.

– Les romans d'amour m'ennuient, dit Andrée d'un air fermé.

– Allons donc ! dit Malou. Tout le monde sait que tu connais par cœur *Tristan et Yseult*.

Elle ajouta qu'elle n'aimait pas cette histoire ; Isabelle l'aimait ; elle déclara rêveusement qu'elle trouvait bien émouvante cette épopée de l'amour platonique. Andrée éclata de rire :

– Platonique, l'amour de Tristan et Yseult ! Non, dit-elle, il n'a rien de platonique.

Il y eut un silence gêné et Guite dit d'une voix sèche :

– Les petites filles ne devraient pas parler de ce qu'elles ne comprennent pas.

Andrée rit de nouveau, sans rien répondre. Je la dévisageai avec perplexité. Qu'avait-elle voulu dire au juste ? Je ne concevais qu'un amour : celui que j'éprouvais pour elle.

— Pauvre Isabelle ! dit Andrée quand nous eûmes regagné sa chambre. Il va falloir qu'elle oublie son Tristan : elle est presque fiancée avec un chauve, affreux. Elle ricana :

— J'espère qu'elle croit au coup de foudre sacramentel.

— Qu'est-ce que c'est que ça ?

— Ma tante Louise, la mère de Guite, affirme qu'au moment où les fiancés prononcent le oui sacramentel, ils ont le coup de foudre l'un pour l'autre. Vous comprenez, c'est commode pour les mères, cette théorie ; pas besoin de s'occuper des sentiments de leurs filles : Dieu y pourvoira.

— Personne ne peut croire ça pour de vrai, dis-je.

— Guite y croit.

Andrée se tut :

— Maman ne va pas jusque-là, bien sûr, reprit-elle ; mais elle dit qu'une fois qu'on est marié, on a des grâces.

Elle jeta un coup d'œil sur le portrait de sa mère :

– Maman a été très heureuse avec papa, dit-elle d'une voix indécise ; et pourtant si grand-mère ne l'y avait pas forcée, elle ne l'aurait pas épousé. Elle l'a refusé deux fois.

Je regardai la photo de madame Gallard : c'était drôle de penser qu'elle avait eu un cœur de jeune fille.

– Elle l'a refusé !

– Oui. Papa lui paraissait trop austère. Lui l'aimait, il ne s'est pas découragé. Et pendant leurs fiançailles elle s'est mise à l'aimer aussi, ajouta Andrée sans conviction.

Pendant un moment nous avons médité en silence.

– Ça ne doit pas être gai de vivre du matin au soir avec quelqu'un qu'on n'aime pas, dis-je.

– Ça doit être horrible, dit Andrée.

Elle frissonna, comme si elle avait aperçu une orchidée ; ses bras se couvrirent de chair de poule.

– On nous apprend au catéchisme que nous devons respecter nos corps : alors se vendre dans le mariage, c'est aussi mal que se vendre en dehors, dit-elle.

– On n'est pas forcé de se marier, dis-je.

– Je me marierai, dit Andrée. Mais pas avant d'avoir vingt-deux ans.

Elle posa brusquement sur la table notre recueil de textes latins.

– Si on travaillait ? dit-elle.

Je m'assis à côté d'elle et nous nous absorbâmes dans la traduction de la bataille de Trasimène.

Nous n'avons plus servi le thé aux amies de Malou. Pour répondre aux questions qui nous préoccupaient, il ne fallait décidément compter que sur nous-mêmes. Jamais nous n'avons tant discuté que cette année-là. Et malgré ce secret que je ne partageais pas avec elle, jamais notre intimité n'avait été aussi étroite. On nous permit d'aller ensemble à l'Odéon, voir les classiques. Nous découvrions la littérature romantique : je m'enthousiasmais pour Hugo, Andrée préférait Musset, toutes deux nous admirions Vigny. Nous commencions à faire des projets d'avenir. Il était entendu qu'après mes bachots, je continuerais mes études ; Andrée espérait qu'on l'autoriserait aussi à suivre des cours à la Sorbonne. À la fin du trimestre, j'eus la plus grande joie de mon enfance : madame Gallard m'invita inopinément à passer deux semaines à Béthary, et maman accepta.

Je comptais qu'Andrée m'attendrait à la gare ; je fus surprise, en descendant du train, d'apercevoir madame Gallard. Elle portait une robe noire et blanche, un grand chapeau de paille noire orné de marguerites, un ruban de faille blanche autour du cou. Elle approcha ses lèvres de mon front sans les y poser tout à fait.

— Vous avez fait bon voyage, ma petite Sylvie ?

— Très bon Madame, mais j'ai peur d'être tout encharbonnée, ajoutai-je.

En présence de madame Gallard, je me sentais toujours vaguement coupable ; mes mains étaient sales : sans doute aussi ma figure ; mais elle ne parut pas y prendre garde ; elle avait l'air distraite ; elle adressa à l'employé un sourire machinal et se dirigea vers une charrette anglaise attelée d'un cheval bai ; elle détacha les rênes enroulées autour d'un pieu et grimpa avec vivacité dans la voiture.

— Montez.

Je m'assis à côté d'elle ; elle laissait flotter les rênes qu'elle tenait entre ses mains gantées.

— Je voulais vous parler avant que vous ne voyiez Andrée, dit-elle sans me regarder.

Je me raidis. Quelles recommandations allait-elle me faire ? Avait-elle deviné que je ne croyais plus ? Mais alors, pourquoi m'avoir invitée ?

— Andrée a des ennuis, et il faut que vous m'aidiez.

Je répétai stupidement :

– Andrée a des ennuis ?

J'étais gênée que madame Gallard me parlât soudain comme à une grande personne, il y avait là quelque chose de suspect. Elle tira sur les rênes et fit claquer sa langue ; le cheval se mit en route, à petits pas.

– Andrée ne vous a jamais parlé de son petit ami Bernard ?

– Non.

La voiture s'engagea sur une route poussiéreuse, bordée de faux acacias. Madame Gallard se taisait.

– Le père de Bernard possède le domaine qui touche à celui de ma mère, dit-elle enfin. Il descend d'une de ces familles basques qui ont été faire fortune en Argentine : c'est là-bas qu'il vit la plupart du temps, ainsi que sa femme et ses autres enfants. Mais Bernard était fragile, il supportait mal le climat : il a passé ici toute son enfance, avec une vieille tante et des précepteurs.

Madame Gallard tourna la tête vers moi :

– Vous savez qu'après son accident, Andrée est restée un an à Béthary, couchée sur une planche ; Bernard venait tous les jours jouer avec elle ; elle était seule, elle souffrait, elle s'ennuyait, et puis à l'âge qu'ils avaient, c'était sans importance, dit-elle sur un ton d'excuse qui me déconcerta.

– Andrée ne m'en a pas parlé, dis-je.

Ma gorge était serrée. J'avais envie de sauter de la charrette, et de fuir, comme un jour j'avais fui loin du confessionnal et de l'abbé Dominique.

– Ils se sont revus tous les étés, ils faisaient du cheval ensemble. Ce n'était encore que des enfants. Seulement ils ont grandi.

Madame Gallard chercha mon regard ; il y avait dans ses yeux quelque chose d'implorant :

– Voyez-vous, Sylvie, il n'est absolument pas question que Bernard et Andrée se marient jamais ; le père de Bernard est aussi opposé que nous à cette idée. Alors j'ai dû interdire à Andrée de le revoir.

Je balbutiai au hasard :

– Je comprends.

– Elle a très mal pris les choses, dit madame Gallard.

De nouveau elle me jeta un regard à la fois soupçonneux et suppliant.

– Je compte beaucoup sur vous.

– Qu'est-ce que je peux faire ? demandai-je.

Des mots sortaient de ma bouche, mais ils n'avaient aucun sens, et je ne comprenais pas ceux qui m'entraient dans les oreilles ; ma tête était pleine de vacarme et de nuit.

– Distrayez-la, parlez-lui de choses qui l'intéressent. Et puis, si vous en avez l'occasion, raisonnez-la. J'ai peur qu'elle ne tombe malade. Moi, en ce moment, je ne peux rien lui dire, ajouta madame Gallard.

Visiblement, elle était inquiète et malheureuse, mais je n'en fus pas touchée : au contraire, à ce moment-là, je la détestai. Je murmurai du bout des lèvres :

– J'essaierai.

Le cheval suivit au trot une avenue bordée de chênes d'Amérique et s'arrêta devant un grand manoir aux murs couverts de vigne vierge : j'en avais vu la photographie sur la cheminée d'Andrée. Je savais maintenant pourquoi elle aimait Béthary et les promenades à cheval ; je savais à quoi elle pensait quand son regard se voilait.

– Bonjour !

Andrée descendit en souriant les marches du perron ; elle portait une robe blanche, avec un collier vert, ses cheveux coupés brillaient comme un casque ; elle avait l'air d'une vraie jeune fille et je me dis soudain qu'elle était très jolie : c'était une idée incongrue, nous n'attachions guère d'importance à la beauté.

– Je pense que Sylvie a envie de faire un brin

de toilette ; et puis vous descendrez dîner, dit madame Gallard.

Je suivis Andrée à travers un vestibule qui sentait la crème au caramel, la cire fraîche et le vieux grenier ; des tourterelles roucoulaient ; quelqu'un jouait du piano. Nous montâmes un escalier et Andrée poussa une porte :

— Maman vous a installée dans ma chambre, dit-elle.

Il y avait un grand lit à baldaquin, avec des colonnes torses, et à l'autre bout de la pièce un étroit divan. Comme j'aurais été joyeuse, une heure plus tôt, à l'idée de partager la chambre d'Andrée ! Mais j'y entrai le cœur serré : madame Gallard se servait de moi : pour se faire pardonner ? pour distraire Andrée ? pour la surveiller ? de quoi au juste avait-elle peur ?

Andrée s'approcha de la fenêtre :

— Quand le temps est clair, on voit les Pyrénées, dit-elle avec indifférence.

Le soir tombait, le temps n'était pas clair. Je me débarbouillai et je me recoiffai tout en racontant sans conviction mon voyage : j'avais pris le train seule pour la première fois, ç'avait été une aventure, mais je ne trouvai plus rien à en dire.

— Vous devriez couper vos cheveux, dit Andrée.

– Maman ne veut pas, dis-je.

Maman trouvait que les cheveux coupés donnaient mauvais genre et j'épinglai sur ma nuque un chignon maussade.

– Descendons, je vais vous montrer la bibliothèque, dit Andrée.

On continuait à jouer du piano, et des enfants chantaient ; la maison était pleine de bruits : des bruits de vaisselle remuée, des bruits de pas. J'entrai dans la bibliothèque : la collection complète de *La Revue des Deux Mondes*, depuis le premier numéro, les œuvres de Louis Veuillot, celles de Montalembert, les sermons de Lacordaire, les discours du comte de Mun, tout Joseph de Maistre ; sur les guéridons, des portraits d'hommes à favoris et de vieillards barbus ; c'était les ancêtres d'Andrée : ils avaient tous été des catholiques militants.

Quoique morts, on les sentait chez eux ici, et parmi tous ces messieurs austères, Andrée paraissait déplacée : trop jeune, trop frêle, et surtout trop vivante.

Une cloche sonna et nous passâmes à la salle à manger. Qu'ils étaient donc nombreux ! Je les connaissais tous, sauf la grand-mère : elle avait sous ses bandeaux blancs un visage classique de grand-mère, je n'en pensai rien. Le frère aîné portait une soutane, il venait d'entrer au séminaire. Il poursuivit avec Malou et M. Gallard une discussion, qui paraissait chronique, sur le suffrage des femmes ; oui, c'était scandaleux qu'une mère de famille eût moins de droits qu'un manœuvre ivrogne : mais M. Gallard objectait que parmi les ouvriers, les femmes sont plus rouges que les hommes ; en fin de compte, si la loi passait, elle servirait les ennemis de l'Église. Andrée se taisait. Au bout de la table, les jumelles se bombardaient de boulettes de pain ; madame Gallard les laissait faire en souriant. Pour la première fois je me dis clairement que ce sourire cachait un piège. J'avais souvent envié l'indépendance d'Andrée ; soudain, elle me parut beaucoup moins libre que moi. Il y avait ce passé derrière elle ; autour d'elle, cette grande maison, cette vaste famille : une prison, dont les issues étaient soigneusement gardées.

– Alors ? Que pensez-vous de nous ? dit Malou sans aménité.

– Moi ? Rien, pourquoi ?

– Votre regard a fait le tour de la table : vous pensiez quelque chose.

– Que vous étiez nombreux, c'est tout, dis-je.

Je me dis qu'il fallait que j'apprenne à surveiller mon visage.

En sortant de la table, madame Gallard dit à Andrée :

— Tu devrais montrer le parc à Sylvie.

— Oui, dit Andrée.

— Prenez des manteaux, la nuit est fraîche.

Andrée décrocha dans le vestibule deux capes de loden. Les tourterelles dormaient. Nous sommes sorties par la porte de derrière qui donnait sur les communs. Entre la remise et le bûcher, un chien-loup tirait sur sa chaîne en gémissant. Andrée s'approcha de la niche :

— Viens, ma pauvre Mirza, je t'emmène promener, dit-elle.

Elle détacha la bête qui bondit joyeusement sur elle et partit devant nous en courant.

— Pensez-vous que les bêtes ont une âme ? me demanda Andrée.

— Je ne sais pas.

— Si elles n'en ont pas, c'est trop injuste ! Elles sont aussi malheureuses que les gens. Et elles ne comprennent pas pourquoi, ajouta Andrée. C'est pire quand on ne comprend pas.

Je ne répondis rien. J'avais tant attendu cette soirée ! Je me disais qu'enfin je serais au cœur de la vie d'Andrée ; et jamais elle ne m'avait semblé plus lointaine : ce n'était plus la même Andrée depuis que son secret avait un nom. Nous suivîmes en silence des allées mal entretenues où poussaient des mauves et des centaurées. Le parc était plein de beaux arbres et de fleurs.

— Asseyons-nous là, dit Andrée en désignant un banc au pied d'un cèdre bleu. Elle sortit de son sac un paquet de gauloises :

— Je ne vous en offre pas ?

— Non, dis-je. Depuis quand fumez-vous ?

— Maman me le défend ; mais quand on a commencé à désobéir…

Elle alluma une cigarette en s'envoyant de la fumée dans les yeux. Je rassemblai mon courage :

— Andrée, qu'est-ce qui se passe ? Racontez-moi.

— Je suppose que maman vous a mise au courant, dit Andrée. Elle a tenu à aller vous chercher…

— Elle m'a parlé de votre ami Bernard. Vous ne m'en aviez jamais rien dit.

— Je ne pouvais pas parler de Bernard, dit Andrée ; sa main gauche s'ouvrit et se contracta dans une espèce de spasme.

— Maintenant, c'est une histoire publique.

— N'en parlons pas si vous ne voulez pas, dis-je vivement.

Andrée me regarda :

— Vous, c'est différent ; vous, je veux bien vous raconter.

Elle aspira avec application un peu de fumée.

— Qu'est-ce que maman vous a dit ?

— Comment vous êtes devenus amis Bernard et vous, et qu'elle vous a défendu de le revoir.

— Elle me l'a défendu, dit Andrée ; elle jeta sa cigarette et l'écrasa d'un coup de talon.

— Le soir de mon arrivée, je me suis promenée avec Bernard, après le dîner ; je suis rentrée tard. Maman m'attendait, j'ai vu tout de suite qu'elle avait un drôle de visage ; elle m'a posé un tas de questions. Andrée haussa les épaules et elle dit d'une voix irritée :

— Elle m'a demandé si nous nous étions embrassés ! Bien sûr que nous nous embrassions ! Nous nous aimons.

Je baissai la tête. Andrée était malheureuse, cette idée m'était insupportable ; mais son malheur me restait étranger : les amours où l'on s'embrasse n'avaient pas de vérité pour moi.

— Maman m'a dit des choses horribles, dit Andrée. Elle serra autour d'elle sa cape de loden.

— Mais pourquoi ?

— Ses parents sont beaucoup plus riches que

nous, mais ils ne sont pas de notre milieu, pas du tout. Il paraît que là-bas, à Rio, ils mènent une drôle de vie, très dissipée, dit Andrée d'un air puritain ; elle ajouta dans un murmure : et la mère de Bernard est juive.

Je regardai Mirza, immobile au milieu de la pelouse, les oreilles pointées vers les étoiles : pas plus qu'elle je n'étais capable de traduire en mots ce que j'éprouvais.

— Alors ? demandai-je.

— Maman a été parler au père de Bernard ; il était tout à fait d'accord : je ne suis pas un beau parti. Il a décidé d'emmener Bernard pour ses vacances à Biarritz, et puis ils s'embarqueront pour l'Argentine. Bernard se porte assez bien maintenant.

— Il est déjà parti ?

— Oui ; maman m'avait défendu de lui dire au revoir, mais j'ai désobéi. Vous ne pouvez pas savoir, dit Andrée. Il n'y a rien de plus affreux que de faire souffrir quelqu'un qu'on aime.

Sa voix tremblait :

— Il a pleuré ; comme il a pleuré !

— Quel âge a-t-il ? demandai-je. Comment est-il ?

— Il a quinze ans, comme moi. Mais il ne connaît rien de la vie, dit Andrée. Personne ne s'est jamais soucié de lui, il n'avait que moi. Elle fouilla dans son sac :

– J'ai une petite photo de lui.

Je regardai le petit garçon inconnu qui aimait Andrée, qu'elle embrassait, et qui avait tant pleuré. Il avait de grands yeux clairs, aux paupières bombées, des cheveux sombres coupés à la Caracalla : il ressemblait à saint Tarcisius martyr.

– Il a des yeux et des joues de vrai petit garçon, dit Andrée ; mais vous voyez comme sa bouche est triste : il a l'air de s'excuser d'être sur terre.

Elle appuya sa tête contre le dossier du banc et regarda le ciel :

– Quelquefois, je me dis que j'aimerais mieux qu'il soit mort ; au moins je serais seule à souffrir.

De nouveau la main d'Andrée se convulsa.

– Je ne peux pas supporter l'idée qu'en ce moment, il pleure.

– Vous vous reverrez ! dis-je. Puisque vous vous aimez tous les deux, vous vous reverrez ! Un jour vous serez majeurs.

– Dans six ans : c'est trop long. À notre âge, c'est trop long. Non, dit Andrée avec désespoir, je sais bien que je ne le reverrai jamais.

Jamais ! c'était la première fois que ce mot me

tombait de tout son poids sur le cœur ; je le répétai en moi-même, sous le ciel qui n'en finissait pas, et j'eus envie de crier.

– Quand je suis rentrée, après lui avoir dit adieu, dit Andrée, je suis montée sur le toit de la maison : je voulais sauter.

– Vous vouliez vous tuer ?

– Je suis restée deux heures là-haut ; j'ai hésité deux heures. Je me disais que ça m'était égal d'être damnée : si Dieu n'est pas bon, je ne tiens pas à aller dans son ciel.

Andrée haussa les épaules :

– J'ai tout de même eu peur. Oh ! pas de mourir, au contraire, je voudrais tant être morte ! mais peur de l'enfer. Si je vais en enfer, c'est fini pour l'éternité, je ne reverrai plus Bernard.

– Vous le reverrez en ce monde ! dis-je.

Andrée secoua la tête :

– C'est fini.

Elle se leva brusquement.

– Rentrons. J'ai froid.

Nous avons traversé la pelouse en silence. Andrée enchaîna Mirza et nous montâmes dans notre chambre. Je me couchai sous le baldaquin, et elle dans le lit divan. Elle éteignit sa lampe.

– Je n'ai pas avoué à maman que j'avais revu

Bernard, dit-elle. Je ne veux pas entendre les choses qu'elle me dirait.

J'hésitai. Je n'aimais pas madame Gallard, mais je devais la vérité à Andrée :

– Elle se fait beaucoup de souci pour vous, dis-je.

– Oui, je suppose qu'elle se fait du souci, dit Andrée.

***

Andrée ne fit pas allusion à Bernard les jours suivants, et je n'osai pas en parler la première. Le matin, elle jouait longtemps du violon, et presque toujours des morceaux tristes. Puis nous sortions dans le soleil. Ce pays était plus sec que le mien, j'appris au long des chemins poussiéreux l'odeur râpeuse du figuier ; dans la forêt, je connus le goût des pignons, je suçai les larmes résineuses figées sur le tronc des pins. Au retour de nos promenades, Andrée entrait dans l'écurie, elle caressait son petit cheval alezan, mais elle ne le montait plus jamais.

Nos après-midi étaient moins paisibles. Madame Gallard avait entrepris de marier Malou, et pour camoufler les visites de garçons plus ou

moins inconnus, elle ouvrait largement la maison
à la jeunesse « comme il faut » des environs. On
jouait au croquet, au tennis, on dansait sur la
pelouse, on parlait de la pluie et du beau temps
en mangeant des gâteaux. Le jour où Malou
descendit de sa chambre, en robe de shantung
écru, les cheveux lavés de frais et frisés au petit fer,
Andrée me poussa du coude :

— Elle est en tenue d'entrevue.

Malou passa l'après-midi à côté d'un Saint-
Cyrien très vilain, qui ne jouait pas au tennis, qui
ne dansait pas, qui ne parlait pas : de temps en
temps il ramassait nos balles. Après son départ,
madame Gallard s'enferma dans la bibliothèque
avec sa fille aînée ; la fenêtre était ouverte et nous
entendîmes la voix de Malou : « Non maman, pas
celui-là : il est trop ennuyeux ! »

— Pauvre Malou ! dit Andrée. Tous les types
qu'on lui présente sont si bêtes et si laids !

Elle s'assit sur la balançoire ; il y avait à côté
de la remise une espèce de gymnase en plein air ;
Andrée s'exerçait souvent au trapèze ou à la barre
fixe, elle y était très forte. Elle saisit les cordes :

— Poussez-moi.

Je la poussai ; quand elle eut pris un peu d'élan
elle se mit debout et donna un vigoureux coup de

jarret ; bientôt la balançoire s'envola vers la cime des arbres.

– Pas si haut ! criai-je.

Elle ne répondit pas ; elle s'envolait, retombait et s'envolait plus haut encore. Les deux jumelles, qui jouaient avec la sciure du bûcher, à côté de la niche, avaient levé la tête d'un air intéressé ; on entendait au loin un bruit mat de raquettes frappant des balles. Andrée frôlait les feuillages des érables, et je commençai à avoir peur : j'entendais gémir les crochets d'acier.

– Andrée !

Toute la maison était calme ; par le soupirail, une vague rumeur montait de la cuisine ; les pieds-d'alouette et les monnaies-du-pape qui bordaient le mur frémissaient à peine. Moi j'avais peur. Je n'osai pas m'agripper à la planche ni supplier trop fort ; mais je me disais que la balançoire allait se retourner, ou alors Andrée serait prise de vertige, elle lâcherait les cordes : rien qu'à la regarder osciller du ciel au ciel comme un pendule en folie, j'avais la nausée. Pourquoi se balançait-elle si longtemps ? Quand elle passait près de moi, toute droite dans sa robe blanche, elle avait les yeux fixes, les lèvres serrées. Peut-être que quelque chose venait de craquer dans sa tête, elle ne pourrait plus s'arrêter. La cloche du dîner sonna et Mirza se mit à hurler. Andrée continuait à voler dans les arbres. « Elle va se tuer », me dis-je.

– Andrée !

Quelqu'un d'autre avait crié. Madame Gallard s'approchait, le visage noir de colère :

– Descends immédiatement ! C'est un ordre. Descends !

Andrée battit des paupières et baissa les yeux vers la terre ; elle s'accroupit, s'assit, et freina des deux pieds si brutalement qu'elle s'étala de tout son long sur la pelouse.

– Vous vous êtes fait mal ?

– Non.

Elle se mit à rire, le rire s'acheva dans un hoquet et elle resta plaquée au sol, les yeux fermés.

– Évidemment tu t'es rendue malade ! une demi-heure sur cette balançoire ! Quel âge as-tu ? dit madame Gallard d'une voix dure.

Andrée ouvrit les yeux.

– Le ciel tourne.

– Tu devais préparer un cake pour le goûter de demain.

– Je le ferai après le dîner, dit Andrée en se relevant. Elle mit la main sur mon épaule :

– Je titube.

Madame Gallard s'éloigna ; elle prit par la main les jumelles et les ramena vers la maison. Andrée leva la tête vers la cime des arbres.

– On est bien là-haut, dit-elle.

– Vous m'avez fait peur, dis-je.

– Oh ! la balançoire est solide, il n'y a jamais eu d'accident, dit Andrée.

Non, elle n'avait pas pensé à se tuer ; c'était une affaire réglée ; mais quand je me rappelais ses yeux fixes et ses lèvres serrées, j'avais peur.

Après dîner, quand la cuisine fut vide, Andrée y descendit et je l'accompagnai ; c'était une immense pièce qui occupait la moitié du sous-sol ; dans la journée, on voyait passer au-dessus du soupirail des jambes, des pintades, des chiens, et des pieds humains ; à cette heure-ci, rien ne bougeait dehors, seule Mirza au bout de sa chaîne gémissait faiblement. Le feu ronflait dans la cuisinière de fonte ; pas d'autre bruit. Pendant qu'Andrée cassait des œufs, qu'elle dosait le sucre, la levure, j'inspectai les murs, j'ouvris les bahuts. Les cuivres brillaient : batteries de casseroles, chaudrons, écumoires, bassines, bassinoires qui réchauffaient naguère les draps des ancêtres barbus ; sur le dressoir, j'admirai la série de plats d'émail aux couleurs enfantines. En fonte, en terre, en grès, en porcelaine, en aluminium, en étain, que de marmites, de poêles, de pot au feu, de faitouts, de cassolettes, d'écuelles, de soupières, de plats, de timbales, de passoires, de hachoirs, de moulins, de moules et de mortiers ! Quelle variété de bols, de tasses, de verres, de flûtes et de coupes, d'assiettes, de soucoupes, de saucières, de pots, de cruches, de pichets, de carafes ! Est-ce que chaque espèce de cuillère, de louche, de fourchette, de couteau avait vraiment un usage particulier ? Avions-nous donc tant de besoins différents à satisfaire ? Ce monde clandestin aurait dû se manifester à la surface de la terre par d'énormes et subtiles fêtes qui à ma connaissance n'avaient lieu nulle part.

— Est-ce qu'on se sert de tout ? demandai-je à Andrée.

— Plus ou moins : il y a un tas de traditions, dit-elle.

Elle disposa dans le four la maquette blême d'un gâteau :

— Vous n'avez rien vu, dit-elle. Venez faire un tour à la cave.

Nous traversâmes d'abord la laiterie : jarres et jattes vernissées, barattes en bois poli, mottes de beurre, fromages blancs à la chair lisse sous des mousselines blanches : cette nudité hygiénique

78

et cette odeur de nourrisson me mirent en fuite. Je préférai les celliers pleins de bouteilles poussiéreuses et de petits tonneaux gonflés d'alcool ; cependant l'abondance des jambons, des saucissons, les monceaux d'oignons et de pommes de terre m'accablèrent.

« Voilà pourquoi elle a besoin de s'envoler dans les arbres », pensai-je en regardant Andrée.

— Vous aimez les cerises à l'eau-de-vie ?

— Je n'en ai jamais mangé.

Sur une étagère, il y avait des centaines de pots de confitures : chacun recouvert d'un parchemin où étaient inscrits sa date et un nom de fruit. Il y avait aussi des bocaux de fruits conservés dans le sirop et dans l'alcool. Andrée prit un bocal de cerises qu'elle emporta à la cuisine. Elle le posa sur la table. Avec une louche de bois, elle remplit deux coupes ; elle goûta à même la louche le liquide rose :

— Grand-mère a eu la main lourde, dit-elle. On se saoulerait facilement avec ça !

J'attaquai par la queue un fruit décoloré, un peu flétri, fripé : il n'avait plus goût de cerise mais la chaleur de l'alcool me plut. Je demandai :

— Ça vous est déjà arrivé de vous saouler ?

Le visage d'Andrée s'éclaira :

— Une fois, avec Bernard. Nous avons bu un

flacon de Chartreuse. Au début, c'était amusant : ça tournait encore bien mieux qu'en descendant de balançoire ; après, nous avons eu mal au cœur.

Le feu ronflait ; on commençait à sentir une molle odeur de boulangerie. Puisqu'Andrée avait d'elle-même prononcé le nom de Bernard, j'osai l'interroger.

— C'est après votre accident que vous êtes devenus amis ? Il venait vous voir souvent ?

— Oui. On jouait aux dames, aux dominos, à la crapette. Bernard prenait de grosses colères en ce temps-là ; une fois, je l'ai accusé d'avoir triché et il m'a donné un coup de pied : juste dans ma cuisse droite, il ne l'avait pas fait exprès. Je me suis évanouie de douleur. Quand je suis revenue à moi, il avait appelé au secours, on refaisait mes pansements et il sanglotait au chevet de mon lit.

Andrée regarda au loin :

— Jamais je n'avais vu pleurer un petit garçon ; mon frère et mes cousins étaient des brutes. Quand on nous a laissés seuls, nous nous sommes embrassés…

Andrée remplit de nouveau nos coupes ; l'odeur se fortifiait ; on devinait que dans le four, le gâteau se dorait. Mirza ne gémissait plus, elle devait dormir, tout le monde dormait.

— Il s'est mis à m'aimer, dit Andrée.

Elle tourna la tête vers moi :

— Je ne peux pas vous expliquer : ça a fait un tel changement dans ma vie ! J'avais toujours pensé que personne ne pourrait m'aimer.

Je sursautai :

— Vous pensiez ça ?

— Oui.

— Mais pourquoi ? dis-je avec scandale.

Elle haussa les épaules :

— Je me trouvais si laide, si gauche, si peu intéressante ; et puis c'est vrai que personne ne se souciait de moi.

— Et votre mère ? dis-je.

— Oh ! une mère doit aimer ses enfants, ça ne compte pas. Maman nous aimait tous, et nous étions si nombreux !

Il y avait du dégoût dans sa voix. Avait-elle été jalouse de ses frères et sœurs ? cette froideur que je sentais chez madame Gallard, en avait-elle souffert ? je n'avais jamais pensé que son amour pour sa mère pût être un amour malheureux. Elle appuya ses mains contre le bois luisant de la table.

— Il n'y a que Bernard au monde qui m'ait aimé pour moi-même, juste comme j'étais, et parce que c'était moi, dit-elle d'un ton farouche.

– Et moi ? dis-je.

Les mots m'avaient échappé : j'étais révoltée par tant d'injustice. Andrée me dévisagea avec surprise :

– Vous ?

– Est-ce que je n'ai pas tenu à vous pour vous-même ?

– Bien sûr, dit Andrée d'une voix incertaine.

La chaleur de l'alcool et mon indignation m'enhardissaient ; j'avais envie de dire à Andrée ces choses qu'on ne dit que dans les livres.

– Vous ne l'avez jamais su : mais du jour où je vous ai rencontrée, vous avez été tout pour moi, dis-je. J'avais décidé que si vous mouriez, je mourrais tout de suite.

Je parlais au passé, et j'essayais de prendre un ton détaché. Andrée continuait à me regarder d'un air perplexe.

– Je pensais qu'il n'y avait que vos livres et vos études qui comptaient vraiment pour vous.

– D'abord il y avait vous, dis-je. J'aurais renoncé à tout pour ne pas vous perdre.

Elle garda le silence et je demandai :

– Vous ne vous en doutiez pas ?

– Quand vous m'avez donné ce sac, pour mon anniversaire, j'ai pensé que vous aviez vraiment de l'affection pour moi.

— C'était bien plus que ça ! dis-je tristement.

Elle avait l'air émue. Pourquoi n'avais-je pas su lui faire sentir mon amour ? Elle m'avait paru si prestigieuse que je l'avais crue comblée. J'eus envie de pleurer sur elle et sur moi.

— C'est drôle, dit Andrée ; nous avons été inséparables pendant tant d'années, et je m'aperçois que je vous connais si mal ! Je juge les gens trop vite, dit-elle avec remords.

Je ne voulais pas qu'elle s'accusât :

— Moi aussi, je vous connaissais mal, dis-je vivement. Je pensais que vous étiez fière d'être comme vous étiez, je vous enviais.

— Je ne suis pas fière, dit-elle.

Elle se leva et marcha vers la cuisinière :

— Le cake est à point, dit-elle en ouvrant le four.

Elle éteignit le feu et rangea le gâteau dans le garde-manger. Nous montâmes dans notre chambre et pendant que nous nous déshabillions, elle me demanda :

— Vous communierez, demain matin ?

— Non, dis-je.

— Alors nous irons ensemble à la grand-messe. Moi non plus je ne communie pas. Je suis en état de péché, ajouta-t-elle avec indifférence ; je n'ai toujours pas dit à maman que je lui avais désobéi, et le pire, c'est que je ne m'en repens pas.

Je me glissai sous mes draps, entre les colonnes torses.

— Vous ne pouviez pas laisser partir Bernard sans le revoir.

— Je ne pouvais pas ! dit Andrée. Il m'aurait crue indifférente, il aurait été encore plus désespéré. Je ne pouvais pas, répéta-t-elle.

— Alors, vous avez bien fait de désobéir, dis-je.

— Oh ! dit Andrée, quelquefois, quoi qu'on fasse, tout est mal.

Elle se coucha mais elle laissa allumée la veilleuse bleue, au chevet de son lit.

— C'est une des choses que je ne comprends pas, dit-elle. Pourquoi est-ce que Dieu ne nous dit pas clairement ce qu'il veut de nous ?

Je ne répondis rien ; Andrée bougea dans son lit, elle arrangea ses oreillers.

— Je voudrais vous demander quelque chose.

— Demandez.

— Est-ce que vous croyez toujours en Dieu ?

Je n'hésitai pas ; ce soir, la vérité ne me faisait pas peur.

— Je n'y crois plus, dis-je. Voilà un an que je n'y crois plus.

— Je m'en doutais, dit Andrée.

Elle se redressa sur ses oreillers :

— Sylvie ! ce n'est pas possible qu'il n'y ait que cette vie-là !

— Je ne crois plus, répétai-je.

— Quelquefois, c'est difficile, dit Andrée. Pourquoi Dieu veut-il que nous soyons malheureux ? Mon frère me répond que c'est le problème du mal, que les pères de l'Église l'ont résolu depuis longtemps, il me répète ce qu'on lui apprend au séminaire : ça ne me satisfait pas.

— Non, si Dieu existe, le mal ne se comprend pas, dis-je.

— Mais peut-être qu'il faut accepter de ne pas comprendre, dit Andrée. C'est de l'orgueil de vouloir tout comprendre.

Elle éteignit la veilleuse et ajouta dans un murmure :

— Il y a sûrement une autre vie. Il faut qu'il y ait une autre vie !

Je ne savais trop à quoi je m'attendais quand je me réveillai : je fus désappointée. Andrée était juste la même, moi aussi, nous nous dîmes bonjour comme nous l'avions toujours fait. Ma déception se prolongea les jours suivants. Bien sûr ; nous étions si unies que nous ne pouvions pas le devenir davantage ; ça ne pèse pas lourd, quelques phrases, auprès de six ans d'amitié ; mais quand je me rappelai cette heure passée dans la cuisine, j'étais triste de penser qu'en vérité, il ne s'était rien passé.

Un matin, nous étions assises sous un figuier et nous mangions des figues ; les grosses figues violettes qu'on vend à Paris sont bêtes comme des légumes, mais j'aimais ces petits fruits pâles, gonflés d'une confiture grenue.

– J'ai parlé hier soir avec maman, me dit Andrée.

Je sentis un pincement au cœur ; Andrée me semblait plus proche de moi quand elle était loin de sa mère.

– Elle m'a demandé si je communiais dimanche. Ça l'a beaucoup tourmentée que dimanche dernier je ne communie pas.

– Elle a deviné la raison ?

– Pas exactement. Mais je la lui ai dite.

– Ah ! vous lui avez dit ?

Andrée appuya sa joue contre le figuier :

– Pauvre maman ! elle se fait tant de souci en ce moment : à cause de Malou et puis à cause de moi !

– Elle vous a grondée ?

– Elle m'a dit que quant à elle, elle me

pardonnait, que pour le reste c'était affaire entre mon confesseur et moi. Andrée me regarda d'un air grave : Il faut la comprendre, dit-elle. Elle a la charge de mon âme : elle non plus, elle ne doit pas savoir toujours ce que Dieu veut d'elle. Ce n'est facile pour personne.

– Non, ce n'est pas facile, dis-je vaguement.

J'étais en rage. Madame Gallard torturait Andrée, et voilà que c'était elle la victime !

– Maman m'a parlé d'une manière qui m'a bouleversée, dit Andrée d'une voix émue. Vous savez, elle a eu de durs moments, elle aussi, quand elle était jeune.

Andrée regarda autour d'elle :

– Ici même, sur ces chemins, elle a eu de durs moments.

– Votre grand-mère était très autoritaire ?

– Oui.

Andrée rêva un instant :

– Maman dit qu'il y a des grâces, que Dieu nous mesure les épreuves qu'il nous envoie, qu'il aidera Bernard et qu'il m'aidera comme il l'a aidée.

Elle chercha mon regard :

– Sylvie, si vous ne croyez pas en Dieu, comment pouvez-vous supporter de vivre ?

– Mais j'aime vivre, dis-je.

– Moi aussi. Mais justement : si je pensais que les gens que j'aime mourront tout entiers, je me tuerais tout de suite.

– Je n'ai pas envie de me tuer, dis-je.

Nous avons quitté l'ombre du figuier et nous sommes revenues à la maison en silence. Andrée communia le dimanche suivant.

## CHAPITRE 2

Nous passâmes nos bachots et après de longs débats, madame Gallard concéda à Andrée trois années d'études en Sorbonne. Andrée choisit les lettres, moi la philosophie ; nous travaillions souvent côte à côte, à la bibliothèque, mais aux cours je me trouvai seule. Le langage, les manières, les propos des étudiants m'effarouchèrent ; je restais respectueuse de la morale chrétienne et ils m'en paraissaient trop affranchis. Ce n'est pas un hasard si je me découvris des affinités avec Pascal Blondel, qui avait la réputation d'être un catholique pratiquant. Autant qu'à son intelligence, je fus sensible à sa parfaite éducation et à son beau visage angélique. Il souriait à tous ses camarades mais il restait distant avec tous et il semblait se méfier particulièrement des étudiantes ; mon zèle philosophique eut raison de sa réserve. Nous eûmes de longues conversations élevées, et somme toute, mis à part l'existence de Dieu, nous étions d'accord sur presque toutes les questions. Nous décidâmes de faire équipe. Pascal détestait les lieux publics, bibliothèques et bistrots : j'allai travailler chez lui. L'appartement où il vivait avec un père et une sœur ressemblait à celui de mes parents, et la banalité de sa chambre me déçut. Au sortir du collège Adélaïde, les jeunes gens constituaient à mes yeux une assez mystérieuse confrérie, je les supposais beaucoup plus avancés que moi dans les arcanes de la vie ; or les meubles de Pascal, ses livres, le crucifix d'ivoire, la reproduction du Greco, rien n'indiquait qu'il fût d'une autre espèce qu'Andrée et moi. Il avait depuis longtemps le droit de sortir seul le soir et de lire librement, mais je m'aperçus vite que son horizon était aussi borné que le mien. Il avait été élevé dans une institution religieuse où son père était professeur, et n'aimait que ses études et sa famille. Je n'avais alors d'autre idée que de m'en aller de chez moi et je m'étonnais qu'il se trouvât si bien chez lui. Il remuait la tête : « Jamais je ne serai aussi heureux qu'à présent », disait-il sur le ton nostalgique que prennent les hommes d'âge pour regretter le passé. Il me disait que son père était un homme admirable. Marié tard, après une dure jeunesse, il s'était retrouvé veuf à cinquante ans avec une fillette de dix ans et un bébé de quelques mois ; il s'était entièrement sacrifié à eux. Quant à sa sœur, Pascal la considérait comme une sainte. Elle avait perdu son fiancé pendant la guerre et décidé qu'elle ne se marierait jamais. Ses cheveux châtains, tirés en arrière et rassemblés en un lourd catogan, découvraient un grand front intimidant ; elle avait le teint blanc, des yeux pleins d'âme, un sourire éclatant et dur ; elle portait des robes sombres, toujours taillées sur le même modèle d'une élégante austérité et éclairées d'un grand col blanc ; elle avait dirigé avec ferveur l'éducation de son frère qu'elle avait essayé d'aiguiller vers le sacerdoce ; je la soupçonnais de tenir un journal intime et de se prendre pour Eugénie de Guérin ; en raccommodant de ses mains épaisses et un peu rougeaudes les chaussettes familiales, elle devait se réciter du Verlaine : « La vie humble, aux travaux ennuyeux et faciles. » Bon écolier, bon fils, bon chrétien, je trouvais Pascal un peu trop sage ; je me disais parfois qu'il avait l'air d'un petit séminariste défroqué ; de mon côté, je l'agaçais sur plus d'un point. Pourtant, même quand plus tard j'eus d'autres camarades qui m'intéressèrent davantage, notre amitié tint bon. Ce fut lui que j'amenai comme cavalier le jour où les Gallard fêtèrent les fiançailles de Malou.

À force de tourner autour du tombeau de Napoléon, de respirer les roses de Bagatelle, de manger de la salade russe dans les forêts landaises, Malou qui savait alors par cœur *Carmen*, *Manon* et *Lakhmé* finit en effet par trouver un mari. Depuis qu'elle avait coiffé Sainte-Catherine, sa mère lui répétait chaque jour : « Entre au couvent, ou marie-toi ; le célibat n'est pas une vocation. » Un soir, au moment de partir pour l'Opéra, madame Gallard déclara : « Cette fois, c'est à prendre ou à laisser, la prochaine occasion sera pour Andrée. » Malou accepta donc d'épouser un veuf qui avait quarante ans et qui était affligé de deux filles. On donna une matinée dansante en cet honneur. Andrée insista pour que je vienne. J'endossai la robe en jersey de soie gris que m'avait léguée une cousine qui venait d'entrer au couvent, et j'allai retrouver Pascal devant la maison des Gallard.

M. Gallard avait obtenu un gros avancement au cours de ces cinq années, et ils habitaient à présent un luxueux appartement rue Marbeuf. Je n'y mettais presque jamais les pieds. Madame Gallard me dit bonjour du bout des lèvres ; depuis long-temps elle ne m'embrassait plus et elle ne prenait même plus la peine de me sourire ; toutefois elle toisa Pascal sans réprobation : il plaisait à toutes les femmes à cause de son air à la fois intense et réservé. Andrée lui adressa un de ses sourires de série ; elle avait les yeux cernés, et je me demandai si elle n'avait pas pleuré. « Si vous voulez vous repoudrer, il y a ce qu'il faut dans ma chambre », me dit-elle. C'était une invite discrète. Chez les Gallard, l'usage de la poudre était autorisé ; tandis que ma mère, ses sœurs, ses amies le condam-naient. « Le fard gâte le teint », affirmaient-elles. Nous nous disions souvent, mes sœurs et moi, en considérant la peau chagrinée de ces dames, que leur prudence payait mal.

Je passai une houppette sur mon visage, je recoiffai mes cheveux, taillés sans art, et je rega-gnai le salon. La jeunesse dansait sous le regard attendri des dames d'âge. Ce n'était pas un beau spectacle. Les taffetas, les satins aux couleurs trop violentes ou trop sucrées, les décolletés bateau, les drapés maladroits enlaidissaient encore ces jeunes chrétiennes, trop bien entraînées à oublier leur corps. Seule Andrée était agréable à regarder. Ses cheveux étaient lustrés, ses ongles brillaient, elle

portait une jolie robe en foulard bleu sombre et
de fins escarpins ; cependant, malgré les ronds de
santé qu'elle avait peints sur ses joues, elle semblait
fatiguée.

— Comme c'est triste ! dis-je à Pascal.

— Quoi donc !

— Tout ça !

— Mais non, dit-il gaiement.

Pascal ne partageait ni mes sévérités ni mes rares
enthousiasmes ; il disait qu'en tout être on peut
trouver quelque chose à aimer ; c'est pour cela qu'il
plaisait : sous son regard attentif, tout le monde se
sentait aimable.

Il me fit danser, et puis je dansai avec d'autres ;
ils étaient tous laids, je n'avais rien à leur dire, ni
eux à moi, il faisait chaud, je m'ennuyais. Je ne
perdais pas de vue Andrée ; elle souriait équita-
blement à tous ses cavaliers, elle saluait les vieilles
dames d'une petite révérence qu'elle réussissait
trop parfaitement à mon gré : je n'aimais pas lui
voir remplir avec tant d'aisance son rôle de jeune
fille du monde. Se laissera-t-elle marier, comme
sa sœur ? me demandais-je avec un peu d'anxiété.
Quelques mois plus tôt, Andrée avait rencontré
Bernard à Biarritz, au volant d'une longue voiture
bleu pâle ; il portait un complet blanc, des bagues,

et il y avait à côté de lui une jolie blonde visiblement de mauvaise vie. Ils s'étaient serré la main sans rien trouver à se dire. « Maman avait raison : nous n'étions pas faits l'un pour l'autre », m'avait dit Andrée. Peut-être aurait-il été différent si on ne les avait pas séparés, pensais-je, peut-être pas. En tout cas, depuis cette entrevue Andrée ne parlait plus de l'amour qu'avec amertume.

Entre deux danses je réussis à m'approcher d'elle.

— Il n'y a pas moyen de causer cinq minutes ?

Elle se toucha la tempe ; elle avait sûrement mal à la tête, ça lui arrivait souvent, ces temps-ci. « Rendez-vous dans l'escalier, au dernier étage. Je vais m'arranger pour filer en douce. » Elle jeta un coup d'œil sur les couples qui se reformaient. « Nos mères ne nous permettent pas de nous promener avec un jeune homme, et elles rient aux anges en nous regardant danser, les innocentes ! »

Souvent Andrée disait crûment, à haute voix, ce que je me formulais à peine tout bas. Oui, ces bonnes chrétiennes auraient dû s'inquiéter en voyant leurs filles s'abandonner, pudiques et congestionnées, entre des bras mâles. Comme j'avais détesté, à quinze ans, mes leçons de danse ! J'éprouvais un malaise indéfinissable qui ressemblait à un vertige d'estomac, à la fatigue, à la tristesse et dont je ne connaissais pas les raisons ; depuis que j'en avais appris le sens, j'y étais devenue réfractaire, tant il me semblait irrationnel et vexant que le premier venu pût agir, par son seul contact, sur mes états d'âme. Mais certainement la plupart de ces pucelles avaient plus de naïveté que moi ou moins d'amour-propre : maintenant que j'avais commencé d'y penser, ça me gênait de les regarder. Et Andrée ? me demandai-je. Elle m'obligeait souvent par son cynisme à me poser des questions qui me scandalisaient au moment même où je les formulais. Andrée me rejoignit dans l'escalier ; nous nous assîmes sur la plus haute marche.

— Ça fait du bien de respirer un peu ! dit-elle.

— Vous avez mal à la tête ?

— Oui.

Andrée sourit :

— C'est peut-être à cause de cette mixture que j'ai ingurgitée ce matin. D'ordinaire pour me mettre en train je bois du café ou un verre de vin blanc : aujourd'hui j'ai mélangé les deux.

— Un café et du vin ?

— Ce n'est pas tellement mauvais. Sur le moment ça m'a donné un coup de fouet.

# DOCUMENTS ICONOGRAPHIQUES

*Nous remercions Sylvie Le Bon de Beauvoir et
l'Association Élisabeth Lacoin de leur gracieuse collaboration.*

1. La famille Lacoin vers 1923 à Haubardin. Zaza est au 2<sup>ème</sup> rang, 4<sup>ème</sup> en partant de la gauche.

2. Façade de la maison de Gagnepan en 1927, où Zaza et Simone ont passé de longs moments de vacances.

3. *Simone en 1915, peu de temps avant sa rencontre avec Zaza.*

4. *Portrait de Zaza, 1928.*

5. *Maurice Merleau-Ponty, le grand amour de Zaza, nommé Pascal dans le livre.*

*6. De gauche à droite : Zaza, Simone et Geneviève de Neuville, à Gagnepan, en septembre 1928. Zaza et Simone sont amies depuis l'âge de 10 ans lorsqu'elles étaient élèves au cours Desir à Paris.*

*7. Simone de Beauvoir lors d'une partie de tennis à Gagnepan, 1928.*

*8. Zaza et Simone à Gagnepan, en septembre 1928.*

9. 71 rue de Rennes, où habita Simone de 1919 à 1929, au cinquième étage à gauche.

10. Jean-Paul Sartre et Simone de Beauvoir en juillet 1929, à la fête foraine de la porte d'Orléans, pendant l'agrégation.

11. Le café de Flore que Simone fréquentera à partir de 1938.

*12. Au bar du Pont Royal, en 1948.*

*Mercredi 15 Septembre*
*1920*

*Maynignac*
*Sur...*
*(Corrèze)*

*Ma chère Yaya,*
*Je crois décidément que ma paresse*
*n'a d'égale que la vôtre, voilà*
*15 jours que j'ai reçu votre grande*
*lettre et je ne me suis pas encor[e]*
*décidée à vous répondre. Je m'amuse*
*si bien ici que je n'en ai pas*
*trouvé le temps.*
*Je reviens de la chasse; cela fait*
*la troisième fois que j'y vais.*
*je n'ai d'ailleurs pas eu de chance.*
*mon oncle n'a rien tué les jours*
*où j'ai été avec lui. Aujourd'hui*
*il a touché une perdrix mais elle*
*est tombée dans un buisson et n'ayant*

13. Pages 1 et 4 d'une lettre d'enfance de Simone à Zaza, écrite à 12 ans à l'encre violette, où elle signe « Votre inséparable » :

« Ma chère Zaza, Je crois décidément que ma paresse n'a d'égale que la vôtre ; voilà 15 jours que j'ai reçu votre grande lettre et je ne me suis pas encore décidée à vous répondre. Je m'amuse si bien ici que je n'en ai pas trouvé le temps. Je reviens de la chasse ; cela fait la troisième fois que j'y vais. Je n'ai d'ailleurs pas eu de chance mon oncle n'a rien tué les jours où j'ai été avec lui. Aujourd'hui il a touché une perdrix mais elle est tombée dans un buisson et n'ayant [...]

*reste nullement. Y a-t-il des mûres à Gagnepan ? à Meyrignac nous en trouvons beaucoup, les haies en sont couvertes aussi nous nous en régalons. Au revoir ma chère Zaza ne me faites pas attendre votre lettre aussi longtemps que je vous ai fait attendre la mienne. Je vous embrasse de tout mon coeur ainsi que vos frères et soeurs et particulièrement votre filleul. Mes respects à Madame Lacoin ainsi que les meilleurs souvenirs de Maman. Votre inséparable. Simone. Tâchez de lire ce gribouillage sans trop de peine. »*

14. *Lettre de Zaza à Simone, du 3 septembre 1927, où elle évoque le coup de hache qu'elle s'est elle-même donné afin d'échapper à l'agitation d'Haubardin.*

Ma chère Simone,

Votre lettre m'est arrivée à un moment où quelques heures de tête-à-tête avec moi-même et de réflexion sincère venaient de me rendre beaucoup plus de lucidité et de compréhension de moi-même que je n'en ai eu pendant la première partie de mes vacances. J'ai eu la joie en vous lisant de sentir que nous étions encore bien proches l'une de l'autre, alors que votre dernière lettre m'avait donné l'impression que vous vous éloigniez beaucoup de moi et changiez assez brusquement de route. Excusez-moi de vous avoir, en somme, très mal comprise. Mon erreur vient de ce que dans votre avant-dernière lettre vous insistiez beaucoup sur cette recherche de la vérité, votre plus récente conquête ; seulement, j'ai cru voir dans ce parachèvement qui n'est qu'un but, qu'un sens donné à votre existence, une renonciation à tout le reste, un abandon de toute une part si belle de notre humanité. Je vois que vous êtes loin de songer à une mutilation de ce genre et que vous ne renoncez à rien de vous-même ; c'est là, j'en ai maintenant la conviction, qu'est la vraie énergie, et je pense qu'il faut s'efforcer d'atteindre un certain point de perfection intérieure où toutes nos contradictions s'évanouissent et où notre moi se réalise dans toute son étendue. Et c'est pourquoi j'ai aimé votre expression de « se sauver tout entière » qui est la plus belle conception humaine de l'existence et qui n'est pas bien éloignée du « faire son salut » de la religion chrétienne quand on le comprend dans son sens le plus large.

[...] Quand même vous ne l'auriez pas dit, je saurais qu'en ce moment une très grande paix est en vous, rien qu'au calme que votre lettre m'a donné. Il n'y a pas au monde de chose plus douce que de sentir qu'il y a quelqu'un qui peut vous comprendre entièrement et sur l'amitié de qui l'on peut compter absolument.

Arrivez dès que vous pourrez ; le 10, si cela vous est possible, nous convient, comme d'ailleurs n'importe quelle date. Vous vous retrouverez avec les de Neuville qui seront ici du 8 au 15 ; vous aurez donc les premiers jours une vie très agitée, mais je compte bien que vous prolongerez beaucoup après leur départ et que vous apprécierez le calme de Gagnepan comme son agitation. Je sens que ma phrase de « s'amuser pour tout oublier » a fait naître chez vous presque un reproche et je veux me justifier, car j'ai de beaucoup dépassé ma pensée ; je sais par expérience qu'il y a des moments où rien ne peut me distraire de moi-même et que m'amuser est alors un vrai supplice. Dernièrement, à Haubardin, on a organisé une grande excursion avec des amis dans le Pays Basque ; j'avais un tel besoin de solitude à ce moment-là, une telle impossibilité de m'amuser que je me suis donné un bon coup de hache sur le pied pour échapper à cette expédition. J'en ai eu pour huit jours de chaise longue et de phrases apitoyées ainsi que d'exclamations sur mon imprudence et ma maladresse, mais j'ai eu au moins un peu de solitude et le droit de ne pas parler et de ne pas m'amuser.

J'espère bien ne pas avoir à me couper le pied pendant votre séjour ; le 11, nous avons décidé déjà d'aller à vingt-cinq kilomètres d'ici voir une course de vaches landaises et faire une descente dans un vieux château où logent des cousins à nous. Tâchez d'être là, je vous en prie. Pour votre train, je ne sais que vous dire. Arrivez-vous par Bordeaux ou par Montauban ? Si c'est par Montauban, nous pouvons aller vous chercher à Riscle, qui n'est pas loin d'ici, pour vous éviter un changement de train. Prenez celui que vous voudrez, j'irai à n'importe quelle heure du jour ou de la nuit vous accueillir avec l'auto, mais surtout arrivez vite.

Adieu ma chère Simone, je suis à vous de tout mon cœur. [*mot illisible : passez ou rappelez ?*] mon respectueux souvenir à Madame de Beauvoir et dites-lui combien je la remercie de vous laisser venir ici.

Zaza

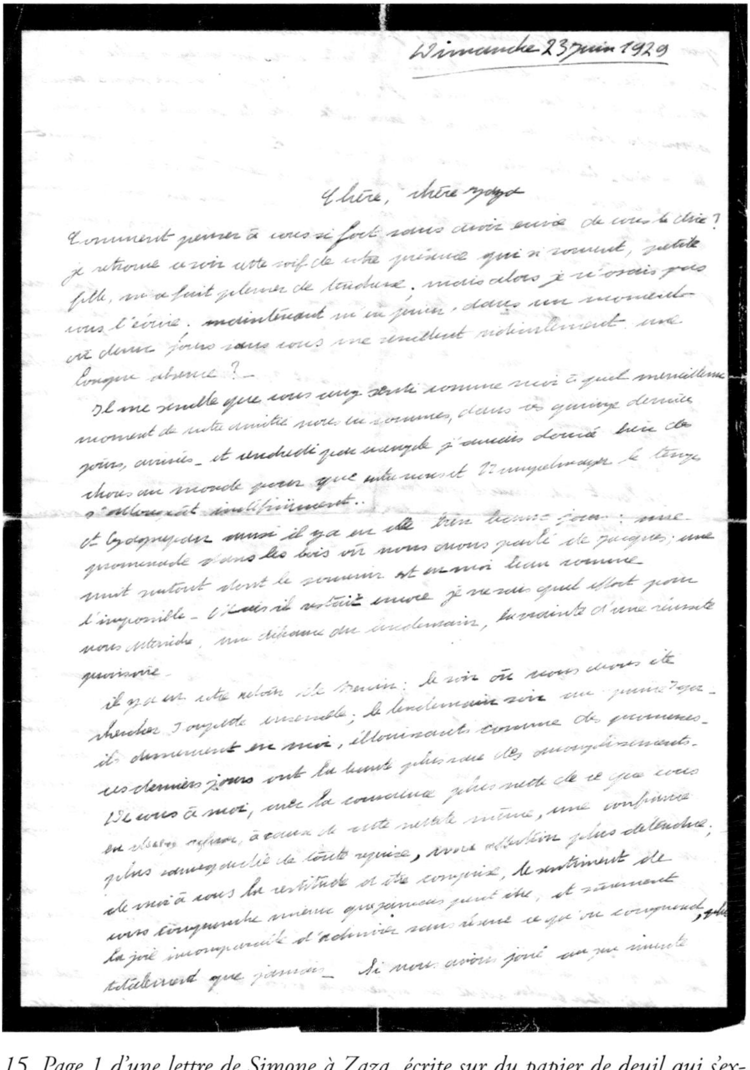

(Paris) Dimanche 23 juin 1929

Chère, chère Zaza

Comment penser à vous si fort sans avoir envie de vous le dire ? Je retrouve ce soir cette soif de votre présence qui si souvent, petite fille, m'a fait pleurer de tendresse ; mais alors je n'osais pas vous l'écrire ; maintenant m'en priver, dans un moment où deux jours sans vous me semblent, ridiculement, une longue absence ?

Il me semble que vous avez senti comme moi à quel merveilleux moment de notre amitié nous en sommes, dans ces quinze derniers jours, arrivées, et vendredi par exemple, j'aurais donné bien des choses au monde pour qu'entre nous et Rumpelmeyer le temps s'allongeât indéfiniment.

À Gagnepan aussi il y a eu de bien beaux jours : une promenade dans les bois où nous avons parlé de Jacques ; une nuit surtout dont le souvenir est en moi beau comme l'impossible. Mais il restait encore je ne sais quel effort pour nous atteindre, une défiance du lendemain, la crainte d'une réussite provisoire.

Il y a eu votre retour de Berlin : le soir où nous avons été chercher Poupette ensemble ; le lendemain soir au *Prince Igor* - ils demeurent en moi, éblouissants comme des promesses. Ces derniers jours ont la beauté plus rare des accomplissements. De vous à moi, avec la conscience plus nette de ce que vous en devez refuser, à cause de cette netteté même, une confiance plus sauvegardée de toute reprise, une affection plus détendue ; de moi à vous, la certitude d'être comprise, le sentiment de vous comprendre mieux que jamais peut-être, et sûrement la joie incomparable d'admirer sans réserve ce qu'on comprend plus totalement que jamais. Si nous avions joué au jeu inventé ...

[la page 2 ne figure pas sur le cliché, ni la 4]

*Page 3. Simone de Beauvoir cite dans sa lettre de juin un extrait de son journal (1er mai).*

...les tendresses pour être sûre de le préférer ; et qu'en donnant à chacun dans mon cœur toute la place qu'il peut occuper, ce cœur demeure tout entier pour lui.

Je sens cela souvent, presque malgré moi, car volontairement je me suis interdit de me remettre en face de lui, de m'interroger sur lui ; sa présence, quoi qu'elle m'apporte, qu'elle me déçoive ou me comble, est trop lourde pour que je puisse la porter seule - d'ailleurs je sais qu'elle me comblera.

Bonsoir, chère Zaza

Votre Simone

P.S. J'avais voulu dans cette lettre et vous dire ma tendresse et vous donner une preuve de la foi infinie que j'ai en vous. La relisant, je m'aperçois qu'elle n'est que réticence. Il en est que la parole rompra plus facilement que ma plume.

Mais sur ce qui est de moi, pourquoi encore me mentir, nous mentir. Voici recopiés pour vous, intacts même en ce que ce soir j'en juge ridicule, quelques passages de mes notes auxquelles aujourd'hui encore j'adhère de toute mon âme.

~~Samedi 26 janvier~~  1er mai

Mais ne rien savoir de l'autre, compterai-je cela pour rien ? Si splendidement retrouvé, unique ! ...Oh ! cette ruse de mon cœur qui voudrait te diminuer pour souffrir moins. Est-ce souffrance ? malgré tout je sais que tu es si près de moi, et que c'est vers moi, non vers une autre que tu t'avances ; mais qu'il est loin ce radieux domaine...

Quel être extraordinaire tu es, Jacques ! extraordinaire...

Pourquoi ne pas toujours oser m'avouer cela que je sais et me défier du jugement que porte mon cœur ? Tu es un être extraordinaire, le seul en qui j'ai senti, incomparable avec celui du talent, du succès, de l'intelligence, le signe du génie, le seul qui m'entraine au-delà de la paix, au-delà de la joie....

Jeudi soir
20 octobre, M

Ma chère Simone,

Je n'étais pas comme Gandillac aime à le faire pour m'excuser d'avoir été bien sinistre malgré le Vermouth et le réconfortant accueil du bar "Silistion". Vous avez dû le comprendre, j'étais encore anéantie par le pronostique de la veille — Il est tombé bien mal à propos. Si Merleau-Ponty avait pu deviner dans quels sentiments j'attendais notre rencontre de Jeudi, je pense qu'il ne l'aurait pas renvoyée — Mais c'est très bien qu'il n'ait pas su, j'aime beaucoup ce qu'il a fait et cela ne m'a pas été mauvais de voir jusqu'où on peut encore aller sans déséquilibre quand je reste absolument seule pour résister à mes amères inflexions et aux lourbus avertissements que maman croit nécessaire de me donner. Le plus triste est de ne pouvoir communiquer avec lui. Je n'ai pas osé envoyer un mot pour lui, rue de la Tour. Si vous aviez ... ... lui je lui aurais écrit quelques lignes

16. *Lettre de Zaza à Simone. Elle y parle de ses sentiments pour Merleau-Ponty.*

Ma chère Simone

Je n'écris pas, comme Gandillac aime à le faire, pour m'excuser d'avoir été hier sinistre malgré le vermouth et le réconfortant accueil du bar « Sélection* ». Vous avez dû le comprendre, j'étais encore anéantie par le pneumatique de la veille. Il est tombé bien mal à propos. Si P. [Merleau-Ponty] avait pu deviner dans quels sentiments j'attendais notre rencontre de jeudi, je pense qu'il ne l'aurait pas renvoyée. Mais c'est très bien qu'il n'ait pas su, j'aime beaucoup ce qu'il a fait et cela ne m'a pas été mauvais de voir jusqu'où peut encore aller mon découragement quand je reste absolument seule pour résister à mes amères réflexions et aux lugubres avertissements que Maman croit nécessaire de me donner. Le plus triste est de ne pas pouvoir communiquer avec lui. Je n'ai pas osé envoyer un mot pour lui rue de la Tour. Si vous aviez été seule hier, je lui aurais écrit quelques lignes avec sur l'enveloppe votre illisible écriture. Vous seriez bien gentille de lui envoyer tout de suite un pneu qui lui dise ce qu'il sait déjà, j'espère, que je suis tout près de lui dans la peine comme dans la joie, mais surtout qu'il peut m'écrire à la maison autant qu'il le voudra. Il ferait bien de ne pas s'en abstenir car, s'il n'est pas possible que, très vite, je le voie, j'aurais terriblement besoin d'un mot, au moins, de lui. D'ailleurs, il n'a pas à redouter en ce moment ma gaîté. Si je lui parlais même de nous, ce serait assez gravement. À supposer que sa présence me délivre et me rende l'assurance heureuse que j'avais mardi en bavardant avec vous dans la cour du lycée Fénelon, il reste dans l'existence bien assez de choses tristes dont on peut parler lorsqu'on se sent en deuil. Ceux que j'aime n'ont pas à s'inquiéter, je ne m'évade pas d'eux. Et je me sens en ce moment attachée à la terre, et même à ma propre vie, comme je ne l'avais jamais encore été. Et je tiens à vous, Simone, dame amorale et distinguée, de tout mon cœur.

Zaza

*\* Le « bar Sélection » désigne la chambre qu'à partir de septembre 1929, Simone de Beauvoir loue à sa grand-mère, 91 avenue Denfert. Son premier logis indépendant.*

\* \* \*

Paris, lundi 4 novembre 1929

Ma chère Simone

J'ai vu P. [Merleau-Ponty] samedi, son frère part aujourd'hui même pour le Togo ; jusqu'à la fin de la semaine, il sera pris par des cours ou par la volonté de tenir un peu compagnie à sa mère pour laquelle cette séparation est dure. Nous serions très, très heureux de nous retrouver samedi au bar « Sélection » et de vous voir, éternelle disparue, dans votre délicieuse robe grise. Je sais que samedi les petits camarades sortent, pourquoi ne pas les réunir à nous, ont-ils une si grande répugnance à nous voir, avez-vous peur que nous ne nous entre-dévorions ? Pour ma part, je souhaite vivement de faire le plus tôt possible la connaissance de Sartre, la lettre que vous m'avez lue m'a plu infiniment, et le poème, beau malgré sa maladresse, m'a fait beaucoup réfléchir. D'ici samedi, pour des raisons de famille qu'il serait trop long d'expliquer, je ne peux vous voir seule comme je l'espérais. Attendez un peu.

Je pense toujours à vous et je vous aime de tout mon cœur.

Zaza

17. *Dernière lettre de Simone de Beauvoir à Zaza, le 13 novembre 1929, alors que celle-ci, trop malade déjà, n'a sans doute pas pu la lire. On y lit un ultime emploi de l'expression « Mon inséparable ». Zaza meurt le 25 novembre.*

Mercredi (13 novembre 1929)

Chère Zaza

Je compte sur vous dimanche à 5 heures. Vous verrez Sartre en liberté*. Je voudrais bien vous voir avant. Si nous allions au Salon d'automne vendredi de 2h. à 4h. ou samedi vers la même heure ? En ce cas mettez-moi un mot tout de suite avec le lieu du rendez-vous. Je vais tâcher de voir Merleau-Ponty un de ces jours à la sortie d'un de ses cours. En tous cas transmettez-lui mes plus affectueuses amitiés si vous le voyez avant moi.

J'espère que tous les ennuis dont vous me parliez l'autre jour ont cessé. J'ai été heureuse, heureuse des moments que nous avons passés ensemble, bien chère Zaza. Je vais toujours à la B.N., n'allez-vous pas y venir aussi ?

C'est toujours à chaque page bonheur, bonheur en lettres de plus en plus grosses. Et je tiens à vous plus que jamais en ce moment, cher passé, cher présent, ma chère inséparable. Je vous embrasse, Zaza chérie.

S. de Beauvoir

*Allusion au service militaire qu'il venait de commencer*

*18. Première page du manuscrit « Les Inséparables », rédigé en 1954.*

Andrée cessa de sourire :

– Je n'ai pas dormi de la nuit. Je suis si triste pour Malou !

Andrée ne s'était jamais bien entendue avec sa sœur, mais elle prenait à cœur tout ce qui arrivait aux gens.

– Pauvre Malou ! reprit-elle. Pendant deux jours elle a couru consulter toutes ses amies ; toutes lui ont dit d'accepter. Surtout Guite.

Andrée ricana :

– Guite dit que quand on a vingt-huit ans c'est intolérable de passer ses nuits toute seule !

– Et les passer avec un homme qu'on n'aime pas, c'est drôle ?

Je souris :

– Est-ce que Guite croit toujours au coup de foudre sacramentel ?

– Je suppose, dit Andrée ; elle jouait nerveusement avec la chaînette d'or qui retenait ses médailles.

– Ah ! ce n'est pas simple, dit-elle. Vous, vous aurez un métier, vous pourrez servir à quelque chose sans vous marier. Mais une vieille fille inutile comme Guite, ce n'est pas bien.

Je me félicitais souvent, égoïstement, que les bolcheviks et la méchanceté de la vie eussent ruiné mon père : j'étais obligée de travailler, les problèmes qui tourmentaient Andrée ne me concernaient pas.

— C'est vraiment impossible qu'on vous laisse préparer l'agrégation ?

— Impossible ! dit Andrée. L'année prochaine, je prends la place de Malou.

— Et votre mère essaiera de vous marier ?

Andrée eut un petit rire :

— Je crois que ça a déjà commencé, il y a un petit polytechnicien qui m'interroge méthodiquement sur mes goûts. Je lui ai dit que je rêvais de caviar, de maisons de couture, de boîtes de nuit et que mon type d'homme c'est Louis Jouvet.

— Il vous a crue ?

— En tout cas il a paru inquiet.

Nous avons bavardé encore quelques minutes et Andrée a regardé sa montre :

— Il faut que je redescende.

Je détestais ce petit bracelet d'esclave. Quand nous lisions à la bibliothèque dans la tranquille lumière des lampes vertes, quand nous buvions du thé rue Soufflot, quand nous marchions dans les allées du Luxembourg, Andrée jetait soudain un coup d'œil sur le cadran, et elle fuyait en panique :

« Je suis en retard ! » Elle avait toujours autre chose à faire : sa mère l'accablait de corvées dont elle s'acquittait avec un zèle de pénitent ; elle s'entêtait à adorer sa mère et si elle s'était résignée sur certains points à lui désobéir, c'est bien parce que celle-ci l'y avait obligée. Peu de temps après mon séjour à Béthary – Andrée n'avait alors que quinze ans – madame Gallard l'avait mise au courant des choses de l'amour avec une verdeur et une minutie qui la faisaient encore rétrospectivement frissonner ; par la suite, sa mère l'avait autorisée avec tranquillité à lire Lucrèce, Boccace, Rabelais ; les ouvrages crus, voire obscènes, n'inquiétaient pas cette chrétienne ; mais elle condamnait sans appel ceux qu'elle accusait de dénaturer la foi et la morale catholiques. « Si tu veux t'instruire sur ta religion, lis les pères de l'Église », disait-elle quand elle voyait entre les mains d'Andrée Claudel, Mauriac ou Bernanos. Elle estimait que j'exerçais sur Andrée une influence pernicieuse, et elle avait voulu lui interdire de me voir. Encouragée par un directeur aux idées larges, Andrée avait tenu bon. Mais pour se faire pardonner ses études, ses lectures, notre amitié, elle s'appliquait à remplir de manière irréprochable ce que madame Gallard appelait ses devoirs sociaux. Voilà pourquoi elle avait si souvent mal à la tête ; à peine trouvait-elle dans la journée le temps de travailler son violon ; à ses études, elle ne pouvait guère consacrer que ses nuits et bien qu'elle eût beaucoup de facilité, elle ne dormait pas assez.

Pascal la fit souvent danser pendant la fin de la journée ; en me raccompagnant chez moi, il me dit d'un air pénétré :

— Elle est gentille, votre amie. Je vous ai vue souvent avec elle à la Sorbonne : pourquoi ne m'avez-vous jamais présenté ?

— Je n'en ai pas eu l'idée, dis-je.

— J'aimerais bien la revoir.

— Ça sera facile.

J'étais surprise qu'il se montrât sensible au charme d'Andrée ; il était aimable avec les femmes, comme avec les hommes et même un peu davantage, mais il ne les estimait guère ; malgré son universelle bienveillance, il restait d'ailleurs peu liant. Quant à Andrée, devant un visage nouveau sa première réaction était la méfiance. En grandissant, elle avait découvert avec scandale l'abîme qui séparait les enseignements de l'Évangile et les conduites intéressées, égoïstes, mesquines des bien-pensants ; elle se défendait contre leur hypocrisie par un parti pris de cynisme. Elle me croyait quand je lui disais que Pascal était très intelligent ; mais bien qu'elle s'insurgeât contre la bêtise, elle attachait peu de prix à l'intelligence : « À quoi ça avance-t-il ? » demandait-elle avec une espèce d'irritation. Je ne sais pas au juste ce qu'elle cherchait, mais elle opposait le même scepticisme à toutes les valeurs reconnues. S'il lui arrivait de s'enticher d'un artiste, d'un écrivain, d'un acteur, c'était toujours pour des raisons paradoxales, elle n'appréciait en eux que des qualités frivoles, ou même équivoques. Jouvet l'avait charmée dans un rôle d'ivrogne au point qu'elle avait affiché sa photographie dans sa chambre ; ces engouements représentaient avant tout un défi aux fausses vertus des gens de bien ; elle ne les prenait pas au sérieux. Mais elle avait l'air sérieux quand elle me dit à propos de Pascal :

– Je l'ai trouvé très sympathique.

Pascal vint donc boire du thé avec nous, rue Soufflot, il nous accompagna au Luxembourg. Dès la seconde fois, je le laissai seul avec Andrée et par la suite ils se rencontrèrent souvent sans moi. Je n'étais pas jalouse. Depuis cette nuit où dans la cuisine de Béthary, j'avais avoué à Andrée combien je tenais à elle, je m'étais mise à y tenir un peu moins. Elle comptait toujours énormément pour moi, mais à présent il y avait le reste du monde, et moi-même : elle n'était plus tout.

Rassérénée de voir Andrée arriver au terme de ses études sans avoir perdu sa foi ni ses mœurs, satisfaite d'avoir casé sa fille aînée, madame Gallard se montra libérale pendant tout ce printemps. Andrée regarda moins souvent sa montre ; elle vit beaucoup Pascal en tête à tête, et souvent aussi nous sortions tous les trois ensemble. Il prit vite de l'influence sur elle. Il avait commencé par rire de ses réflexions mordantes, de ses boutades désabusées ; mais bientôt il lui reprocha son pessimisme. « L'humanité n'est pas si noire », affirmait-il. Ils discutaient sur le problème du mal, le péché, la grâce et il accusa Andrée de jansénisme. Elle en fut très frappée. Les premiers temps, elle me disait avec surprise : « Comme il est jeune ! » Puis elle me dit d'un air perplexe : « Quand je me compare à Pascal, je me fais l'impression d'être une vieille fille aigrie. » Elle finit par décider que c'était lui qui avait raison.

« Penser a priori du mal de ses semblables, c'est offenser Dieu », me dit-elle. Elle me dit aussi : « Un chrétien doit être scrupuleux, mais pas tourmenté », et elle ajouta avec élan : « Pascal est le premier véritable chrétien que j'aie rencontré ! »

Bien plus que les arguments de Pascal, ce fut son existence même qui réconcilia Andrée avec la nature humaine, avec le monde, avec Dieu. Il croyait au ciel, et il aimait la vie, il était gai et il était irréprochable : tous les hommes n'étaient donc pas mauvais, ni toutes les vertus fausses, et on pouvait gagner le paradis sans renoncer à la terre. Je me félicitais qu'Andrée s'en laissât persuader. Deux ans plus tôt, sa foi avait paru vaciller : « Il n'y a qu'une foi possible, m'avait-elle dit alors, c'est la foi du charbonnier. » Depuis, elle s'était reprise ; tout ce que je pouvais espérer, c'est qu'elle ne se fît pas de la religion une idée trop cruelle. Pascal, qui partageait ses convictions, était mieux placé que moi pour lui assurer qu'il n'est pas criminel de se soucier quelquefois de soi-même. Sans condamner madame Gallard, il affirma à Andrée qu'elle avait eu raison de défendre sa vie personnelle. « Dieu ne veut pas que nous nous abêtissions : s'il nous accorde ses dons, c'est pour que nous nous en servions », lui répétait-il. Ces paroles illuminèrent Andrée ; on aurait dit qu'un poids énorme était tombé de ses épaules. Tandis que les marronniers du Luxembourg se couvraient de bourgeons, puis de feuilles et de fleurs, je la vis se transformer. Avec son tailleur en flanelle, sa cloche de paille, ses gants, elle avait une allure étriquée de jeune fille comme il faut. Pascal la plaisantait gentiment.

— Pourquoi portez-vous toujours des chapeaux qui vous cachent la figure ? Est-ce que vous ne quittez jamais vos gants ? Peut-on proposer à une jeune personne si convenable de s'asseoir à une terrasse de café ?

Elle avait l'air contente quand il la taquinait. Elle n'acheta pas de nouveau chapeau, mais elle oublia ses gants au fond de son sac, elle s'assit aux terrasses du boulevard Saint-Michel, sa démarche redevint aussi vive qu'au temps où nous nous promenions sous les pins. Jusqu'alors, la beauté d'Andrée était demeurée en quelque sorte secrète : présente au fond de ses yeux, transparaissant par éclairs sur son visage, mais pas tout à fait visible ; soudain, elle affleura à la surface de sa peau, elle éclata au grand jour. Je la revois par un matin à l'odeur de verdure, sur le lac du Bois de Boulogne ; elle avait pris les rames ; sans chapeau, sans gants, les bras nus, elle plumait l'eau avec adresse ; ses cheveux brillaient, ses yeux vivaient. Pascal laissait sa main traîner dans l'eau et il chantait en sourdine : il avait une jolie voix et savait beaucoup de chansons.

Il changeait, lui aussi. En face de son père et surtout de sa sœur, il avait l'air d'un très petit garçon ; il parlait à Andrée avec une autorité d'homme ; non qu'il jouât un rôle : simplement, il se mettait à la hauteur du besoin qu'elle avait de lui. Ou bien je l'avais méconnu, ou bien il mûrissait. En tout cas il ne ressemblait plus à un séminariste ; il me paraissait moins angélique qu'autrefois, mais plus gai ; et la gaieté lui allait bien. L'après-midi du premier mai, il nous attendait sur la terrasse du Luxembourg ; quand il nous aperçut, il grimpa sur la balustrade, et il vint à notre rencontre, à petits pas d'équilibriste, en se servant de ses bras comme d'un balancier : dans chaque main, il tenait un bouquet de muguet. Il sauta à terre et nous les tendit tous deux ensemble. Le mien n'était là que pour la symétrie : Pascal ne m'avait jamais offert de fleurs. Andrée le comprit, car elle rougit : c'était la seconde fois de notre vie que je la voyais rougir. Je pensai : « Ils s'aiment. » C'était une grande chance d'être aimé par Andrée ; mais ce fut surtout pour elle que je me réjouis. Elle n'aurait ni pu ni voulu épouser un incroyant ; si elle se fut résignée à aimer un chrétien austère, semblable à M. Gallard, elle aurait dépéri. Auprès de Pascal, elle pouvait enfin concilier ses devoirs et son bonheur.

Nous n'avions plus grand-chose à faire, en cette fin d'année, nous flânions beaucoup. Aucun de nous trois n'était riche. Madame Gallard n'accordait à ses filles que l'argent de poche nécessaire pour s'acheter des carnets d'autobus et des bas ; M. Blondel voulait que Pascal se consacrât exclusivement à ses examens, il lui interdisait de donner des leçons particulières, préférant s'accabler lui-même d'heures supplémentaires ; moi je n'avais que deux élèves qui payaient mal. Nous nous arrangions pourtant pour aller voir au studio des Ursulines des films abstraits, et des pièces d'avant-garde dans les théâtres du Cartel. À la sortie, je discutais toujours longuement avec Andrée. Pascal écoutait d'un air indulgent. Il avouait n'aimer que la philosophie. Gratuits, l'art et la littérature l'ennuyaient ; mais quand ils prétendaient représenter la vie, il les jugeait faux. Il disait que dans la réalité les sentiments et les situations ne sont ni aussi subtils, ni aussi dramatiques que dans les livres. Andrée trouvait rafraîchissant ce parti pris de simplicité. Somme toute, elle n'avait que trop tendance à prendre ce monde au tragique, mieux valait pour elle que la sagesse de Pascal fût un peu courte, mais souriante.

Après l'oral de son diplôme, qu'elle avait passé brillamment, Andrée partit se promener avec Pascal. Il ne l'invitait jamais chez lui, et sans doute n'eût-elle pas accepté : elle disait vaguement à sa mère qu'elle sortait avec moi et des camarades mais elle n'eut voulu ni lui avouer ni lui cacher qu'elle avait passé l'après-midi chez un jeune homme. Ils se voyaient toujours dehors et se promenaient beaucoup. Je la retrouvai le lendemain à notre place habituelle, sous le regard mort d'une reine de pierre. J'avais acheté des cerises, de grosses cerises noires qu'elle aimait, mais elle refusa d'y goûter, elle semblait préoccupée. Au bout d'un moment, elle me dit :

— J'ai parlé à Pascal de mon histoire avec Bernard.

Sa voix était tendue.

— Vous ne la lui aviez jamais racontée ?

— Non. Il y a longtemps que je voulais le faire. Je sentais que je devais lui en parler, mais je n'osais pas.

Elle hésita :

— J'avais peur qu'il ne me juge très mal.

— Quelle idée ! dis-je.

J'avais beau connaître Andrée depuis dix ans, il lui arrivait souvent de me déconcerter.

— Nous n'avons jamais rien fait de mal, Bernard et moi, dit-elle d'une voix sérieuse, mais enfin nous nous embrassions et ce n'était pas des baisers platoniques. Pascal est si pur. Je craignais qu'il ne fût terriblement choqué.

Elle ajouta avec conviction :

— Mais il n'est sévère que pour lui-même.

— Comment aurait-il été choqué ? dis-je. Vous étiez des enfants, Bernard et vous, et vous vous aimiez.

— On peut pécher à tout âge, dit Andrée, et l'amour n'excuse pas tout.

— Pascal a dû vous trouver bien janséniste ! dis-je.

Je comprenais mal ses scrupules ; il est vrai que je comprenais aussi très mal ce qu'avaient signifié pour elle ces baisers enfantins.

— Il a bien compris, dit-elle. Il comprend toujours tout.

Elle regarda autour d'elle :

— Dire que j'ai pensé à me tuer quand maman m'a séparée de Bernard : j'étais tellement sûre de l'aimer pour toujours !

Il y avait une interrogation anxieuse dans sa voix.

— À quinze ans, c'est normal de se tromper, dis-je.

Du bout de son soulier, Andrée traçait des lignes dans le sable.

– À quel âge a-t-on le droit de penser : c'est pour toujours ?

Son visage durcissait quand elle était inquiète, il paraissait presque osseux.

– Maintenant vous ne vous trompez pas, dis-je.

– Je le pense aussi, dit-elle.

Elle continuait à tracer sur le sol des lignes incertaines :

– Mais l'autre, celui qu'on aime, comment être sûr qu'il vous aimera toujours ?

– Ça doit se sentir, dis-je.

Elle plongea la main dans le sac de papier brun et mangea en silence quelques cerises.

– Pascal m'a dit que jusqu'ici il n'avait jamais aimé aucune femme, dit Andrée.

Elle chercha mon regard :

– Il n'a pas dit : je n'avais jamais aimé, il a dit : je n'ai jamais aimé.

Je souris :

– Pascal est un scrupuleux ; il pèse ses mots.

– Il a demandé que nous allions communier ensemble demain matin, dit Andrée.

Je ne répondis rien. Il me semblait qu'à la place d'Andrée, j'aurais été jalouse en voyant Pascal communier ; une créature humaine, c'est si peu de chose, comparée à Dieu. Il est vrai pourtant qu'autrefois j'avais aimé à la fois Andrée et Dieu d'un très grand amour.

Désormais, il fut entendu entre Andrée et moi qu'elle aimait Pascal. Quant à lui, il lui parla avec plus de confiance que par le passé. Il lui raconta qu'entre seize et dix-huit ans, il avait voulu se faire prêtre ; son directeur lui démontra qu'il n'avait pas vraiment la vocation : sa sœur l'avait influencé, et puis ce qu'il attendait du séminaire, c'était un refuge contre le siècle et des responsabilités d'adulte qui l'effrayaient. Cette appréhension avait survécu longtemps et elle expliquait les préjugés de Pascal à l'égard des femmes : il se les reprochait à présent avec sévérité. « La pureté ne consiste pas à voir en toute femme un diable », dit-il gaiement à Andrée. Avant de la connaître, il ne faisait d'exception que pour sa sœur qu'il considérait comme un pur esprit, et pour moi parce que j'avais si peu conscience d'être une femme. Il avait compris maintenant que les femmes étaient, en tant que femmes, des créatures de Dieu. « Cependant il n'y a qu'une Andrée au monde », avait-il ajouté avec tant de chaleur qu'Andrée ne doutait plus à présent qu'il l'aimât.

110

– Vous vous écrirez pendant les vacances ? demandai-je.

– Oui.

– Que dira madame Gallard ?

– Maman n'ouvre jamais mes lettres, dit Andrée, et elle aura autre chose à faire qu'à surveiller le courrier.

Ces vacances allaient être particulièrement agitées, à cause des fiançailles de Malou ; Andrée m'en parla avec appréhension. Elle me demanda :

– Est-ce que vous viendriez si maman me permettait de vous inviter ?

– Elle ne vous le permettra pas, dis-je.

– Ce n'est pas sûr. Mine et Lélette seront en Angleterre, et les jumelles sont trop petites pour que votre influence puisse être dangereuse, dit Andrée en riant. Elle ajouta sérieusement :

– Maman a confiance en moi, à présent ; j'ai eu des moments durs, mais j'ai fini par gagner sa confiance : elle n'a plus peur que vous me pervertissiez.

Je soupçonnais Andrée de souhaiter ma venue non seulement par amitié pour moi mais parce qu'elle pourrait me parler de Pascal ; je ne demandais pas mieux que de jouer les confidentes et je fus très heureuse quand Andrée m'apprit qu'elle comptait sur moi pour le début de septembre.

***

Pendant le mois d'août, je ne reçus d'Andrée que deux lettres, et très courtes ; elle écrivait de son lit, à l'aube : « Le jour, je n'ai pas une minute à moi », me disait-elle ; elle dormait la nuit dans la chambre de sa grand-mère qui avait le sommeil léger ; pour faire sa correspondance, pour lire, elle attendait que la lumière filtrât à travers les persiennes. La maison de Béthary était pleine de monde ; il y avait le fiancé, et ses deux sœurs, de langoureuses vieilles filles qui ne quittaient pas Andrée d'une semelle ; il y avait au complet les cousins Rivière de Bonneuil ; tout en célébrant les fiançailles de Malou, madame Gallard organisait des entrevues pour Andrée ; c'était une saison brillante où les fêtes succédaient aux fêtes. « J'imagine ainsi le purgatoire », m'écrivait Andrée. Elle devait en septembre accompagner Malou chez les parents du fiancé : cette perspective l'accablait. Heureusement elle recevait de longues lettres de Pascal. J'étais impatiente de la revoir. Cette année-là je m'ennuyais à Sadernac, la solitude me pesait.

Andrée m'attendait sur le quai, en robe de toile rose, coiffée d'une cloche de paille ; mais elle n'était pas seule : les jumelles, vêtues l'une de vichy rose, l'autre de vichy bleu, couraient le long du train en poussant des cris :

— Voilà Sylvie ! Bonjour Sylvie !

Avec leurs cheveux raides, leurs yeux noirs, elles me rappelaient la petite fille à la cuisse brûlée qui m'avait pris le cœur, dix ans plus tôt ; seulement leurs joues étaient plus rebondies, leurs regards moins effrontés. Andrée me sourit, d'un sourire bref mais si vivant qu'elle me parut resplendir de santé.

— Vous avez fait bon voyage ? dit-elle en me tendant la main.

— Toujours, quand je voyage seule, dis-je.

Les petites nous examinaient d'un air critique :

— Pourquoi tu ne l'embrasses pas ? demanda à Andrée la jumelle bleue.

— Il y a des gens qu'on aime beaucoup et qu'on n'embrasse pas, dit Andrée.

— Il y a des gens qu'on embrasse et qu'on n'aime pas, dit la jumelle rose.

— Exactement, dit Andrée. Portez la valise de Sylvie à la voiture, ajouta-t-elle.

Les petites s'emparèrent de ma mallette et

marchèrent en sautillant vers la Citroën noire parquée devant la gare.

— Comment vont les choses ? demandai-je à Andrée.

— Ni bien ni mal : je vous raconterai, dit Andrée.

Elle se glissa devant le volant et je m'assis à côté d'elle ; les jumelles s'installèrent sur la banquette arrière qu'encombrait un tas de paquets. Il était clair que je tombais au milieu d'une vie sévèrement organisée. « Avant d'aller chercher Sylvie, tu feras les courses et tu passeras prendre les petites », avait dit madame Gallard. À l'arrivée, il faudrait déballer tous ces paquets. Andrée enfilait des gants, elle tripotait des manettes et en la regardant avec plus d'attention, je m'aperçus qu'elle avait maigri.

— Vous avez maigri, dis-je.

— Peut-être un peu.

— Bien sûr : maman la gronde, mais elle ne mange rien, cria une jumelle.

— Elle ne mange rien, répéta l'autre en écho.

— Ne dites pas de sottises, dit Andrée. Si je ne mangeais rien, je serais morte.

La voiture démarra doucement ; sur le volant, les mains gantées avaient l'air compétentes : d'ailleurs tout ce qu'elle faisait, Andrée le faisait bien.

114

— Vous aimez conduire ?

— Je n'aime pas faire le chauffeur toute la journée, dit Andrée, mais j'aime bien conduire.

L'auto filait le long des faux acacias, mais je ne reconnaissais pas la route ; la grande descente où madame Gallard serrait à bloc le frein, la côte où le cheval peinait à petits pas, tout était devenu plat. Et déjà nous arrivions à l'avenue. Les buis étaient taillés de frais. Le château n'avait pas changé : mais on avait planté devant le perron des plates-bandes de bégonias et des massifs de zinnias.

— Il n'y avait pas ces fleurs autrefois, dis-je.

— Non. Elles sont laides, dit Andrée ; mais maintenant que nous avons un jardinier, il faut bien l'occuper, ajouta-t-elle d'un ton ironique. Elle prit ma valise :

— Dites à maman que je viens tout de suite, dit-elle aux jumelles.

Je reconnus le vestibule et son odeur provinciale ; les marches de l'escalier craquaient comme naguère, mais sur le palier Andrée tourna à gauche :

— On vous a mise dans la chambre des jumelles ; elles dormiront avec grand-mère et moi.

Andrée poussa une porte et posa ma valise sur le plancher :

— Maman prétend que si nous logions ensemble, nous ne fermerions pas l'œil.

— C'est dommage ! dis-je.

— Oui. Mais enfin c'est déjà bien beau que vous soyez là ! dit Andrée. Je suis si contente !

— Moi aussi.

— Descendez dès que vous serez prête, dit-elle. Il faut que j'aille aider maman.

Elle referma la porte. Elle n'exagérait pas quand elle m'écrivait : « Je n'ai pas une minute. » Andrée n'exagérait jamais. Elle avait pourtant trouvé le temps de cueillir pour moi trois roses rouges, ses fleurs préférées. Je me rappelais une de ses rédactions d'enfant : « J'aime les roses ; ce sont des fleurs cérémonieuses qui meurent sans se faner, dans une révérence. » J'ouvris le placard, pour suspendre à un cintre mon unique robe d'un mauve indécis ; j'y trouvai un peignoir, des pantoufles, et aussi une jolie robe blanche à pois rouges ; sur la table de toilette, Andrée avait disposé un savon aux amandes, une bouteille d'eau de Cologne, et de la poudre de riz, nuance rachel. Sa sollicitude m'émut.

« Pourquoi ne mange-t-elle pas ? » me demandai-je. Peut-être que madame Gallard avait intercepté des lettres : et alors ? Cinq ans avaient passé :

est-ce que la même histoire allait recommencer ?
Je sortis de ma chambre et je descendis l'escalier.
Ça ne serait pas la même histoire ; Andrée n'était
plus une enfant ; je sentais, je savais qu'elle aimait
Pascal d'un amour inguérissable. Je me rassurai
en me répétant que madame Gallard ne trouverait rien à objecter à leur mariage ; somme toute,
on pouvait ranger Pascal dans la catégorie « jeune
homme bien sous tous rapports ».

Un grand bruit de voix venait du salon ; l'idée
d'affronter tous ces gens plus ou moins hostiles
m'intimida : moi non plus, je n'étais plus une
enfant. J'entrai dans la bibliothèque pour y
attendre la cloche du dîner. Je me rappelai les
livres, les portraits, le gros album dont la couver-
ture en cuir repoussé s'ornait de festons et d'astra-
gales comme le caisson d'un plafond ; je dégrafai
le fermoir de métal ; mon regard s'arrêta sur la
photographie de madame Rivière de Bonneuil :
à cinquante ans, avec ses bandeaux noirs et plats,
son air autoritaire, elle ne ressemblait pas à la
douce grand-mère qu'elle était devenue ; elle avait
obligé sa fille à épouser un homme dont celle-ci ne
voulait pas. Je tournai quelques feuillets et j'exa-
minai le portrait de madame Gallard jeune fille ;
une guimpe emprisonnait son cou, ses cheveux

bouffaient au-dessus d'un visage ingénu où je reconnus la bouche d'Andrée, une bouche sévère et généreuse qui ne souriait pas ; il y avait quelque chose d'attirant dans ses yeux. Je la retrouvai un peu plus loin, assise à côté d'un jeune monsieur barbu, et souriant à un vilain nourrisson ; dans ses yeux, le quelque chose avait disparu. Je fermai l'album, je marchai vers la porte-fenêtre, je l'entrouvris ; une brise jouait dans les monnaies-du-pape et faisait bruire les frêles tambourins ; la balançoire grinçait. « Elle avait notre âge », pensais-je. Elle écoutait sous les mêmes étoiles le chuchotement de la nuit et elle se promettait : « Non, je ne l'épouserai pas. » Pourquoi ? il n'était ni laid ni sot, il avait un bel avenir et un tas de vertus. Aimait-elle quelqu'un d'autre ? S'était-elle inventé des chimères ? Aujourd'hui, elle paraissait si exactement faite pour la vie qu'elle avait menée !

La cloche du dîner sonna et je gagnai la salle à manger. Je serrai beaucoup de mains, mais personne ne s'attarda à me demander de mes nouvelles et on m'eut vite oubliée. Pendant tout le repas, Charles et Henri Rivière de Bonneuil défendirent bruyamment *L'Action française* contre le pape que défendait M. Gallard. Andrée avait l'air irrité. Quant à madame Gallard, elle pensait visiblement à autre chose ; j'essayai en vain de retrouver sur ce visage jauni la jeune fille de l'album. Pourtant elle a des souvenirs, me dis-je. Lesquels ? Et quel usage en faisait-elle ?

Après le dîner les hommes jouèrent au bridge et les femmes prirent leur ouvrage. Cette année-là, c'était la vogue des chapeaux en papier : on taillait du papier épais en minces lattes qu'on humectait pour les assouplir, on les tressait bien serrées et on glaçait le tout avec une espèce de vernis. Sous les yeux admiratifs des demoiselles Santenay, Andrée confectionnait quelque chose de vert.

— Ça sera une cloche ? demandai-je

— Non, une grande capeline, me dit-elle avec un sourire complice.

Agnès Santenay lui demanda de jouer du violon mais Andrée refusa. Je compris que je ne pourrais pas lui parler de la soirée et je montai me coucher de bonne heure. Je ne la vis pas seule une minute, les jours suivants. Le matin elle s'occupait de la maison ; l'après-midi la jeunesse s'entassait dans l'auto de M. Gallard et dans celle de Charles pour aller jouer au tennis ou danser dans les châteaux des environs ; ou bien nous débarquions dans quelque bourgade pour assister à un tournoi de pelote basque, ou à des courses de vaches landaises. Andrée riait quand il le fallait. Mais j'avais remarqué qu'en effet elle ne mangeait presque rien.

Une nuit, je me réveillai en entendant s'ouvrir la porte de ma chambre :

– Sylvie, vous dormez ?

Andrée s'approchait de mon lit, enveloppée d'un peignoir de pilou, les pieds nus.

– Quelle heure est-il ?

– Une heure. Si vous n'avez pas trop sommeil, descendons ; nous serons mieux en bas pour causer : ici on pourrait nous entendre.

J'enfilai ma robe de chambre, et nous descendîmes l'escalier en évitant de faire craquer les marches. Andrée entra dans la bibliothèque et alluma une lampe :

– Les autres nuits, je ne suis pas arrivée à sortir du lit sans réveiller grand-mère. C'est incroyable comme les vieilles gens ont le sommeil léger.

– J'avais tant envie de causer avec vous, dis-je.

– Et moi donc !

Andrée soupira :

– Ça dure comme ça depuis le début des vacances. Ce n'est pas de chance : cette année j'aurais tellement voulu qu'on me fiche un peu la paix !

– Votre mère ne se doute toujours de rien ? demandai-je.

— Hélas ! dit Andrée. Elle a fini par remarquer ces enveloppes, avec une écriture d'homme. La semaine dernière elle m'a interrogée.

Andrée haussa les épaules :

— De toute façon il aurait bien fallu que je lui parle un jour ou l'autre.

— Alors ? Qu'est-ce qu'elle a dit ?

— Je lui ai tout raconté, dit Andrée. Elle n'a pas demandé à voir les lettres de Pascal et je ne les lui aurais pas montrées ; mais j'ai tout raconté. Elle ne m'a pas défendu de continuer à lui écrire. Elle m'a dit qu'elle avait besoin de réfléchir.

Le regard d'Andrée fit le tour de la pièce ; comme si elle avait cherché du secours ; les livres sévères, les portraits d'ancêtres n'étaient pas faits pour la rassurer.

— Elle a eu l'air très contrariée ? Quand saurez-vous ce qu'elle a décidé ?

— Je n'en ai aucune idée, dit Andrée. Elle n'a fait aucun commentaire, elle a seulement posé des questions. Et elle a dit d'un ton sec : il faut que je réfléchisse.

— Il n'y a aucune raison pour qu'elle soit contre Pascal, dis-je avec chaleur. Même de son point de vue, ce n'est pas un mauvais parti.

— Je ne sais pas. Dans notre milieu, les mariages

ne se font pas comme ça, dit Andrée. Elle ajouta avec amertume :

– Un mariage d'amour, c'est suspect.

– On ne vous empêchera tout de même pas d'épouser Pascal simplement parce que vous l'aimez !

– Je ne sais pas, répéta Andrée d'une voix distraite ; elle me jeta un rapide coup d'œil et détourna les yeux :

– Je ne sais même pas si Pascal pense à m'épouser, dit-elle.

– Allons donc ! Il ne vous en a pas parlé parce que ça va de soi, dis-je. Pour Pascal, vous aimer et vouloir se marier avec vous, c'est la même chose.

– Il ne m'a jamais dit qu'il m'aimait, dit Andrée.

– Je sais. Mais à Paris, les derniers temps, vous n'en doutiez pas, dis-je. Et vous aviez bien raison : ça sautait aux yeux.

Andrée jouait avec ses médailles ; elle resta un moment sans parler.

– Dans ma première lettre, j'ai dit à Pascal que je l'aimais ; j'ai peut-être eu tort, mais je ne sais pas comment vous expliquer : me taire, sur le papier ça devenait un mensonge.

Je hochai la tête ; Andrée avait toujours été incapable de tricher.

— Il m'a répondu une très belle lettre, dit Andrée. Mais il disait qu'il ne se sentait pas le droit de prononcer le mot : amour. Il m'expliquait que dans sa vie profane comme dans sa vie religieuse, il n'avait jamais eu d'évidences : il a besoin de faire l'expérience de ses sentiments.

— Ne vous inquiétez pas, dis-je. Pascal m'a toujours reproché de décider de mes opinions au lieu de les mettre à l'épreuve : il est comme ça ! Il a besoin de prendre son temps. Mais l'expérience sera vite concluante.

Je connaissais assez Pascal pour savoir qu'il ne jouait aucun jeu ; mais je déplorai ses réticences. Andrée eût mieux dormi, elle eût mangé davantage si elle avait été assurée de son amour.

— Vous l'avez mis au courant de votre conversation avec madame Gallard ?

— Oui, dit Andrée.

— Vous verrez : dès qu'il craindra que vos rapports ne soient en danger, il aura une évidence.

Andrée mordillait une de ses médailles.

— J'attends de voir, dit-elle sans conviction.

— Franchement Andrée, imaginez-vous que Pascal puisse aimer une autre femme ?

Elle hésita :

— Il peut découvrir qu'il n'a pas la vocation du mariage.

— Vous ne supposez pas qu'il pense encore à être prêtre !

— Il y penserait peut-être s'il ne m'avait pas rencontrée, dit Andrée. Je suis peut-être un piège qu'on a mis sur sa route pour le détourner de sa vraie voie…

Je regardai Andrée avec malaise. Janséniste, disait Pascal ; c'était pire : elle soupçonnait Dieu de machinations diaboliques.

— C'est absurde, dis-je. J'imagine à la rigueur que Dieu puisse tenter les âmes : mais pas les tromper.

Andrée haussa les épaules :

— On dit qu'il faut croire parce que c'est absurde. Alors je finis par penser que plus les choses paraissent absurdes, plus elles ont de chances d'être vraies.

Nous avons discuté un moment, mais soudain la porte de la bibliothèque s'est ouverte.

— Qu'est-ce que vous faites là ? dit une petite voix.

C'était Dédé, la jumelle en rose, celle qu'Andrée préférait.

— Et toi ? dit Andrée. Pourquoi n'es-tu pas dans ton lit ?

Dédé s'approcha, en relevant des deux mains sa longue chemise blanche :

— Grand-mère m'a réveillée en allumant la lampe ; elle a demandé où tu étais : j'ai dit que j'allais voir…

Andrée se leva :

— Sois gentille. Je vais dire à grand-mère que j'avais de l'insomnie et que je suis descendue lire à la bibliothèque. Ne parle pas de Sylvie : maman me gronderait.

— C'est un mensonge, dit Dédé.

— Moi je mentirai, toi tu n'auras qu'à te taire, tu ne mentiras pas.

Andrée ajouta avec assurance :

— Quand on est grande, c'est quelquefois permis de mentir.

— C'est commode d'être grande, dit Dédé avec un soupir.

— Il y a du pour et du contre, dit Andrée en lui caressant la tête.

« Quel esclavage ! » pensai-je en regagnant ma chambre. Pas un de ses gestes qui ne fût contrôlé par sa mère, ou par sa grand-mère, et qui ne devînt aussitôt un exemple pour ses petites sœurs. Pas une pensée dont elle ne dût rendre compte à Dieu !

« C'est ça le pire », me dis-je le lendemain, tandis qu'Andrée priait à mes côtés dans le banc qu'une plaque de cuivre réservait depuis près d'un siècle aux Rivière de Bonneuil. Madame Gallard tenait l'harmonium ; les jumelles promenaient à travers l'église des corbeilles pleines de brioche bénite ; la tête dans ses mains, Andrée parlait à Dieu : avec quels mots ? Elle ne devait pas avoir avec lui des rapports simples ; j'étais sûre d'une chose : elle n'arrivait pas à se convaincre qu'il fût bon ; pourtant, elle ne voulait pas lui déplaire et elle essayait de l'aimer : les choses auraient été plus simples si comme moi elle avait perdu la foi dès que sa foi avait perdu sa naïveté. Je suivis des yeux les jumelles ; elles étaient affairées et importantes ; à leur âge, c'est un jeu très amusant, la religion. J'avais brandi des oriflammes et jeté des pétales de roses devant le prêtre chamarré d'or qui portait le saint sacrement ; j'avais paradé en robe de communiante et baisé aux doigts des évêques de grosses pierres violettes ; les reposoirs moussus, les autels du mois de Marie, les crèches, les processions, les anges, l'encens, tous ces parfums, ces ballets, ces oripeaux éclatants avaient été le seul luxe de mon enfance. Et qu'il était agréable, éblouie par tant de magnificence, de sentir au-dedans de soi une âme blanche et rayonnante comme l'hostie au cœur de l'ostensoir ! Et puis un jour, l'âme et le ciel s'enténèbrent, et on trouve installés en soi le remords, le péché, la peur. Même quand elle se bornait à en considérer l'aspect terrestre, Andrée prenait terriblement au sérieux tout ce qui arrivait autour d'elle ; comment n'aurait-elle pas été saisie d'angoisse quand elle envisageait sa vie dans la mystérieuse lumière du monde surnaturel ? Tenir tête à sa mère, c'était peut-être se révolter contre Dieu même : mais peut-être qu'en se soumettant, elle se montrait indigne des grâces qu'elle avait reçues. Comment savoir si en aimant Pascal elle ne servait pas les desseins de Satan ? À chaque instant, l'éternité était en jeu et aucun signe clair n'indiquait si on était en train de la gagner ou de la perdre ! Pascal avait aidé Andrée à surmonter ces terreurs. Mais notre conversation nocturne m'avait montré qu'elle était prompte à y retomber. Ce n'était sûrement pas à l'église qu'elle trouvait la paix du cœur.

Je restai oppressée toute l'après-midi, et je regardai sans gaieté des vaches aux cornes effilées chargées de jeunes paysans verts de frousse. Pendant les trois jours qui suivirent, toutes les femmes de la maison s'activèrent sans répit dans les soussols ; moi-même j'écossai des pois, je dénoyautai des prunes. Tous les ans, les grands propriétaires de la région se réunissaient au bord de l'Adour pour manger des plats froids ; cette fête innocente exigeait de longs préparatifs. « Chaque famille veut faire mieux que toutes les autres, et chaque année mieux que l'année passée », me dit Andrée. Le matin venu, on chargea dans une camionnette de louage deux panières pleines de nourritures et de vaisselle, la jeunesse s'entassa dans l'espace qui restait libre ; les gens d'âge et les fiancés nous suivaient dans les autos. J'avais mis la robe à pois rouges prêtée par Andrée ; elle portait une robe en toile de soie grège, avec une ceinture verte assortie à son grand chapeau qui n'avait presque pas l'air d'être en papier.

De l'eau bleue, de vieux chênes, une herbe épaisse ; nous nous serions couchées dans l'herbe, nous aurions déjeuné d'un sandwich, nous aurions parlé jusqu'au soir : une après-midi de parfait bonheur, me dis-je avec mélancolie en aidant Andrée à déballer paniers et bourriches. Que de tracas ! Il fallait dresser les tables, disposer le buffet, étaler les nappes aux bons endroits. D'autres voitures arrivaient : des autos flambantes, des guimbardes antiques, et même un break attelé de deux chevaux. Les jeunes se mettaient aussitôt à remuer de la vaisselle. Les vieux s'asseyaient sur des troncs d'arbres recouverts de bâches ou sur des sièges pliants. Andrée les saluait avec des sourires et des révérences : elle plaisait particulièrement aux messieurs d'âge et elle leur tenait de longs discours. Entre-temps, elle relayait Malou et Guite qui tournaient la manivelle d'une machine compliquée, destinée à changer en glace la crème dont on l'avait chargée. Je les aidais aussi.

– Vous vous rendez compte ! dis-je en désignant les tables couvertes de victuailles.

– Oui, pour ce qui est de remplir ses devoirs sociaux, on est tous de fameux chrétiens ! dit Andrée.

La crème ne durcissait pas. Nous renonçâmes, et nous nous assîmes autour d'une des nappes, dans le cercle des plus de vingt ans. Le cousin Charles parlait d'une voix distinguée avec une jeune fille très laide et merveilleusement habillée : ni la couleur ni le tissu de sa robe n'avaient de nom dans notre vocabulaire.

– Ça ressemble au bal des liserés verts, ce pique-nique, murmura Andrée.

– C'est une entrevue ? la fille est bien vilaine, dis-je.

— Mais bien riche, dit Andrée ; elle ricana : il y a au moins dix mariages sous roche.

En ce temps-là, j'étais plutôt vorace, mais l'abondance et la solennité des plats que faisaient circuler les serveuses me découragèrent. Poissons en gelée, cornets, aspics et barquettes, galantines, ballottines, daubes, chauds-froids, pâtés, terrines, confits, dodines, macédoines et mayonnaises, tourtes, tartes et frangipanes, il fallait tout goûter et faire honneur à tout, sous peine de froisser quelqu'un. Par-dessus le marché, on parlait de ce qu'on mangeait. Andrée avait meilleur appétit que de coutume, et au début du repas elle fut plutôt gaie ; son voisin de droite, un beau brun à l'air fat, cherchait sans cesse son regard et lui parlait à voix basse ; bientôt, elle parut irritée : la colère ou le vin firent monter un peu de rose à ses pommettes ; tous les propriétaires de vignobles ayant apporté des échantillons de leurs vins, nous vidâmes beaucoup de bouteilles. La conversation s'anima. On en vint à parler du flirt : pouvait-on flirter ? Jusqu'à quel point ? Somme toute, tout le monde était contre, mais ce fut l'occasion d'apartés ricaneurs entre garçons et filles ; dans l'ensemble, ces jeunes personnes étaient plutôt collet monté ; certaines pourtant avaient nettement mauvais genre : il y eut beaucoup de gloussements polissons ; les jeunes gens émoustillés se mirent à raconter des histoires, d'ailleurs décentes, mais sur un ton qui suggérait qu'ils auraient pu en conter d'autres. On déboucha un magnum de champagne, et quelqu'un proposa que nous buvions tous dans le même verre afin que chacun connût les pensées de son voisin ; la coupe passa de main en main ; quand le beau brun à l'air fat l'eût vidée, il la tendit à Andrée et il lui chuchota quelque chose à l'oreille ; d'un revers de la main, elle envoya la coupe rouler dans l'herbe :

— Je n'aime pas la promiscuité, dit-elle d'une voix nette.

Il y eut un silence gêné et Charles éclata d'un gros rire :

— Notre Andrée ne veut pas qu'on connaisse ses secrets ?

— Je ne tiens pas à connaître ceux d'autrui, dit-elle. D'ailleurs j'ai déjà trop bu.

Elle se leva :

— Je vais chercher le café.

Je la suivis des yeux avec perplexité. Moi, j'aurais bu sans histoire ; oui, il y avait dans ces libertinages innocents quelque chose de trouble : mais en quoi cela nous concernait-il ? Sans doute était-ce aux yeux d'Andrée un sacrilège, cette fausse rencontre de deux bouches sur un verre : pensait-elle aux anciens baisers de Bernard, ou à ceux que Pascal ne lui avait pas encore donnés ? Andrée ne revenait pas ; je me levai moi aussi, et je m'enfonçai dans l'ombre des chênes. De nouveau je me demandai ce qu'elle voulait dire au juste quand elle parlait de baisers qui n'étaient pas platoniques. J'étais solidement documentée sur les problèmes sexuels, pendant mon enfance et mon adolescence mon corps avait eu ses rêves, mais ni ma considérable science ni mon infime expérience ne m'expliquaient quels liens unissent les avatars de la chair à la tendresse, au bonheur. Pour Andrée, il existait entre le cœur et le corps un passage qui me demeurait mystérieux.

Je sortis du boqueteau. L'Adour avait fait un coude et je me retrouvai sur sa rive ; j'entendis le bruit d'une cascade ; au fond de l'eau transparente, les cailloux jaspés ressemblaient à des bonbons qui imitent les cailloux.

– Sylvie !

C'était madame Gallard, toute rouge sous son chapeau de paille :

– Vous savez où est Andrée ?

– Je la cherche, dis-je.

– Voilà presque une heure qu'elle a disparu ; c'est très impoli.

En vérité, me dis-je, elle est inquiète. Sans doute aimait-elle Andrée à sa manière : quelle manière ? C'était la question. Chacun à notre manière, nous l'aimions tous.

À présent le bruit de la cascade déferlait avec violence dans nos oreilles. Madame Gallard s'arrêta :

– J'en étais sûre !

Sous un arbre, près d'une touffe de colchiques, j'aperçus la robe d'Andrée, sa ceinture verte, son linge de toile rêche. Madame Gallard s'approcha de la rivière :

– Andrée !

Quelque chose bougea au pied de la cascade. La tête d'Andrée émergea :

– Venez donc ! l'eau est merveilleuse !

– Veux-tu sortir de là tout de suite !

Andrée nagea vers nous, son visage riait.

– Juste sur ton déjeuner ! tu risquais une congestion ! dit madame Gallard.

Andrée se hissa sur la rive ; elle s'était entortillée dans une cape de loden qu'elle avait ajustée avec des épingles ; ses cheveux raidis par l'eau lui tombaient sur les yeux.

– Ah ! tu as vraiment bonne mine ! dit madame Gallard d'une voix radoucie. Comment vas-tu te sécher ?

– Je me débrouillerai.

– Je me demande à quoi a pensé le Bon Dieu quand il m'a donné une fille pareille ! dit madame Gallard ; elle souriait, mais elle ajouta avec sévérité :

– Reviens tout de suite. Tu manques à tous tes devoirs.

– Je reviens.

Madame Gallard s'éloigna et je m'assis de l'autre côté de l'arbre pendant qu'Andrée se rhabillait.

– Ah ! que j'étais bien dans l'eau ! dit-elle.

– Ça devait être glacé.

– Quand j'ai reçu la cascade sur le dos, j'ai d'abord eu le souffle coupé, dit Andrée, mais c'était bien.

Je déterrai un colchique ; je me demandais si elles étaient vraiment vénéneuses, ces drôles de fleurs à la fois rustiques et sophistiquées, dans leur nudité, et qui sortaient du sol d'un seul jet, comme des champignons.

– Pensez-vous que si on faisait avaler aux sœurs Santenay un bouillon de colchiques, elles en crèveraient ? demandai-je.

— Pauvres filles ! elles ne sont pas méchantes, dit Andrée.

Elle s'approcha de moi ; elle avait enfilé sa robe et elle nouait sa ceinture :

— Je me suis séchée avec ma combinaison, dit-elle. Personne ne verra que je ne porte pas de combinaison ; on a toujours trop de choses sur le corps.

Elle étala au soleil la cape mouillée et le jupon froissé :

— Il faut retourner là-bas.

— Hélas !

— Pauvre Sylvie ! Vous devez bien vous ennuyer.

Elle me sourit :

— Maintenant que le pique-nique est passé, j'espère que je serai un peu plus libre.

— Vous croyez que vous pourrez vous arranger pour qu'on se voie un peu ?

— D'une manière ou d'une autre, je m'arrangerai, dit-elle d'une voix décidée.

Comme nous revenions à pas lents le long de la rivière, elle me dit :

— J'ai eu une lettre de Pascal, ce matin.

— Une bonne lettre ?

Elle hocha la tête :

— Oui.

Elle froissa dans sa main une feuille de menthe et la respira d'un air heureux :

— Il dit que si maman a demandé à réfléchir, c'est bon signe, reprit-elle. Il dit que je dois avoir confiance.

— C'est ce que je pense aussi.

— J'ai confiance, dit Andrée.

J'aurais voulu lui demander pourquoi elle avait jeté par terre la coupe de champagne, mais j'eus peur de l'embarrasser.

Andrée fut charmante avec tout le monde, tout le reste de la journée ; moi je ne m'amusai guère. Et les jours suivants, elle n'eut pas plus de liberté qu'auparavant. Aucun doute. Madame Gallard s'arrangeait systématiquement pour nous empêcher de nous voir. Quand elle avait découvert les lettres de Pascal, elle avait dû se mordre les doigts de m'avoir laissé venir, et elle réparait sa faute de son mieux. J'étais d'autant plus triste que la séparation approchait. À la rentrée, il y aura le mariage de Malou, me disais-je ce matin-là, Andrée remplacera sa sœur à la maison et dans le monde, je l'apercevrai, à la sauvette, entre une vente de charité et un enterrement. C'était l'avant-veille de mon départ et comme il m'arrivait souvent, j'étais descendue dans le parc alors que tout le monde dormait encore. L'été mourait, les buissons rougissaient, les baies rouges du sorbier jaunissaient ; sous l'haleine blanche du matin, les cuivres d'automne paraissaient plus ardents : j'aimais voir flamboyer les arbres au-dessus de l'herbe encore fumante de froid. Tandis que je suivais mélancoliquement les allées bien ratissées où ne poussaient plus de fleurs folles, il me sembla entendre une musique : je marchai vers elle ; c'était le son d'un violon. Tout au fond du parc, cachée dans un bouquet de pins, Andrée jouait. Elle avait jeté un vieux châle sur sa robe de jersey bleu, et elle écoutait d'un air recueilli la voix de l'instrument appuyé contre son épaule. Ses beaux cheveux noirs étaient séparés sur le côté par une raie sage, d'une blancheur émouvante, qu'on avait envie de suivre du doigt avec tendresse et respect. Pendant un moment j'épiai le va-et-vient de l'archet et je pensai en regardant Andrée : « Comme elle est seule ! »

La dernière note mourut, et je m'approchai, en faisant craquer sous mes pieds les aiguilles de pin :

– Ah ! dit Andrée. Vous m'avez entendue ? On m'entend de la maison ?

– Non, dis-je. Je me promenais par ici. Comme vous jouez bien ! ajoutai-je.

Andrée soupira :

— Si seulement j'avais un peu de temps pour travailler !

— Ça vous arrive souvent de donner comme ça des concerts en plein air ?

— Non. Mais depuis quelques jours j'avais tellement envie de jouer ! et je ne veux pas que tous ces gens m'entendent.

Andrée coucha le violon dans son petit cercueil.

— Il faut que je rentre avant que maman ne descende ; elle dirait que je suis folle et ça n'arrangerait pas mes affaires.

— Vous emportez votre violon chez les Santenay ? demandai-je comme nous nous dirigions vers la maison.

— Bien sûr que non ! Ah ! ce séjour, ça m'épouvante, ajouta-t-elle. Au moins ici, je suis chez moi.

— Vous êtes vraiment obligée d'y aller ?

— Je ne veux pas me disputer avec maman pour des petites choses, dit-elle. Surtout pas en ce moment.

— Je comprends, dis-je.

Andrée rentra dans la maison, et je m'installai au milieu de la pelouse avec un livre. Un peu plus tard, je l'aperçus qui coupait des roses en compagnie des sœurs Santenay. Et puis elle alla fendre du bois dans le bûcher, j'entendis les coups sourds de la hache. Le soleil montait dans le ciel et je lisais sans joie. Je ne me sentais plus du tout sûre que la décision de madame Gallard dût être favorable. Andrée n'aurait comme sa sœur qu'une dot modeste, mais elle était beaucoup plus jolie et beaucoup plus brillante que Malou, sa mère nourrissait sans doute pour elle de hautes ambitions. Soudain il y eut un grand cri : c'est Andrée qui avait crié.

Je courus vers le bûcher. Madame Gallard était penchée sur elle ; Andrée gisait dans la sciure, les yeux fermés, un pied sanglant ; le tranchant de la hache était taché de rouge.

— Malou, descends ta trousse, Andrée s'est blessée ! cria madame Gallard. Elle me demanda d'aller téléphoner au médecin. Quand je revins, Malou était en train de panser le pied d'Andrée et sa mère lui faisait respirer de l'ammoniaque ; elle ouvrit les yeux :

— La hache m'a échappé ! murmura-t-elle.

— L'os n'est pas touché, dit Malou. C'est une grosse entaille, mais l'os n'est pas touché.

Andrée eut un peu de fièvre et le docteur la trouva très fatiguée, il ordonna un long repos ; de toute façon, elle ne pourrait pas se servir de son pied avant une dizaine de jours.

Quand j'allai la voir, le soir, elle était très pâle mais elle me fit un grand sourire :

– Je suis clouée au lit jusqu'à la fin des vacances ! me dit-elle d'une voix triomphante.

– Vous avez mal ? demandai-je.

– À peine ! dit-elle. Même si j'avais dix fois plus mal, j'aimerais mieux ça que d'aller chez les Santenay, ajouta-t-elle. Elle me regarda d'un air malicieux :

– C'est ce qu'on appelle un accident providentiel !

Je la dévisageai avec perplexité :

– Andrée ! Vous ne l'avez tout de même pas fait exprès ?

– Je ne pouvais pas espérer que la Providence se dérangerait pour si peu, dit-elle gaiement.

– Comment avez-vous eu le courage ! Vous auriez pu vous couper le pied !

Andrée se rejeta en arrière, elle appuya sa tête sur l'oreiller :

– Je n'en pouvais plus, dit-elle.

Pendant un moment elle regarda le plafond en silence ; et devant son visage crayeux, ses yeux fixes, je sentis renaître une vieille peur. Lever la hache, frapper : jamais je n'en aurais été capable ; à cette seule idée, mon sang se révulsait. C'est ce qui s'était passé en elle à ce moment-là qui m'effrayait.

– Votre mère se doute de quelque chose ?

– Je ne crois pas.

Andrée se redressa :

– Je vous avais bien dit que je m'arrangerais pour avoir la paix, d'une manière ou d'une autre.

– Vous étiez déjà décidée ?

– J'étais décidée à faire quelque chose. L'idée de la hache m'est venue ce matin en cueillant des fleurs. J'avais pensé d'abord à me blesser avec le sécateur mais ça n'aurait pas suffi.

– Vous me faites peur, dis-je.

Andrée sourit largement :

– Pourquoi ? J'ai bien réussi mon coup : je n'ai pas coupé trop fort.

Elle ajouta :

– Vous voulez bien que je demande à maman de vous garder jusqu'à la fin du mois ?

– Elle ne voudra pas.

– Laissez-moi lui parler !

Madame Gallard soupçonna-t-elle une vérité qui lui donna des remords et des craintes ? Ou fut-ce le diagnostic du médecin qui l'inquiéta ? Elle accepta que je reste à Béthary pour tenir compagnie à Andrée. Les Rivière de Bonneuil s'en allèrent en même temps que Malou et les Santenay, et la maison devint du jour au lendemain très calme. Andrée eut une chambre à elle et je passai de longues heures à son chevet. Un matin, elle me dit :

— J'ai eu hier soir une grande conversation avec maman à propos de Pascal.

— Alors ?

Andrée alluma une cigarette ; elle fumait quand elle se sentait nerveuse.

— Elle a causé avec papa. A priori ils ne reprochent rien à Pascal ; il leur a même fait bonne impression le jour où vous l'avez amené à la maison.

Andrée chercha mon regard :

— Seulement je comprends maman : elle ne connaît pas Pascal, elle se demande si ses intentions sont sérieuses.

— Elle ne s'opposerait pas à un mariage ? demandai-je avec espoir.

— Non.

— Eh bien ! c'est l'essentiel, dis-je. Vous n'êtes pas contente ?

Andrée tira sur sa cigarette.

— Il ne peut pas être question de mariage avant deux ou trois ans…

– Je sais.

– Maman exige que nous nous fiancions officiellement. Sinon elle me défend de voir Pascal : elle veut m'envoyer en Angleterre, pour couper les ponts.

– Vous vous fiancerez, voilà tout.

J'enchaînai vivement :

– Oui, vous n'avez jamais abordé la question avec Pascal, mais vous ne supposez pas qu'il vous laissera partir pour deux ans !

– Je ne peux pas l'obliger à se fiancer avec moi ! dit Andrée d'une voix agitée. Il m'a demandé d'être patiente, il me dit qu'il lui faut du temps pour voir clair en lui ; je ne vais pas me jeter à sa tête en lui criant « Fiançons-nous ! »

– Vous ne vous jetterez pas à sa tête : vous lui expliquerez la situation.

– Ça revient à le mettre au pied du mur.

– Ce n'est pas de votre faute ! Vous ne pouvez pas faire autrement.

Elle se débattit longtemps, mais je finis par la convaincre de parler à Pascal. Elle refusa seulement de le mettre au courant par lettre ; elle dit à sa mère qu'elle aurait une conversation avec lui dès la rentrée. Madame Gallard acquiesça. Elle était souriante, ces temps-ci ; peut-être pensait-elle

« Deux filles de casées ! » Elle se montra presque aimable avec moi ; et souvent, quand elle arrangeait les oreillers d'Andrée, quand elle l'aidait à enfiler une liseuse, quelque chose passait dans ses yeux qui me rappelaient sa photographie de jeune fille.

Andrée avait raconté à Pascal, sur un ton badin, comment elle s'était blessée ; elle reçut de lui deux lettres inquiètes. Il disait qu'elle avait bien besoin que quelqu'un de raisonnable veillât sur elle, et d'autres choses aussi qu'elle ne me rapporta pas ; mais je compris qu'elle ne doutait plus de ses sentiments. Le repos, le sommeil lui rendirent des couleurs et elle engraissa même un peu : jamais je ne l'avais vue plus florissante que le jour où elle put enfin quitter son lit.

Elle boitait un peu, elle marchait difficilement. M. Gallard nous prêta la Citroën pour toute une journée. J'étais rarement montée en auto, et jamais pour mon plaisir. J'avais le cœur en fête quand je m'assis à côté d'Andrée et que l'auto fila sur l'avenue, toutes vitres baissées. Nous avons suivi, à travers la forêt landaise, une longue route toute droite qui fuyait entre les pins, jusqu'au ciel. Andrée conduisait très vite : l'aiguille du compteur touchait le 80 km/h ! Malgré sa compétence, j'étais un peu inquiète.

– Vous n'allez pas nous tuer ? dis-je.

– Sûrement pas !

Andrée sourit d'un air heureux.

– Maintenant je ne veux plus du tout mourir.

– Avant, vous vouliez ?

– Oh oui ! chaque soir en m'endormant je souhaitais ne pas me réveiller. Maintenant, je prie Dieu de me garder vivante, ajouta-t-elle gaiement.

Nous avons quitté la grand-route et contourné lentement des étangs endormis parmi des bruyères ; nous avons déjeuné au bord de l'Océan dans un hôtel désert : la saison s'achevait, les plages étaient abandonnées, les villas fermées. À Bayonne, nous avons acheté pour les jumelles des barres de touron multicolore ; nous en avons mangé une en arpentant à petits pas le cloître de la cathédrale. Andrée s'appuyait sur mon épaule. Nous parlions des cloîtres d'Espagne et d'Italie où nous irions un jour nous promener, et d'autres pays plus lointains, de grands voyages. En revenant vers l'auto, je désignai le pied bandé :

– Je ne comprendrai jamais comment vous avez eu ce courage !

– Vous l'auriez eu aussi si vous vous étiez sentie traquée comme je l'étais.

Elle toucha sa tempe :

– Je finissais par avoir des maux de tête insupportables.

– Vous n'en avez plus ?

– Beaucoup moins. Il faut dire que comme je ne dormais pas de la nuit, j'abusais du maxiton et du kola.

– Vous n'allez pas recommencer ?

– Non. À la rentrée, il y aura une quinzaine pénible, jusqu'au mariage de Malou ; mais maintenant j'ai des forces.

Par un petit chemin qui longeait l'Adour nous avons regagné la forêt. Madame Gallard s'était tout de même arrangée pour charger Andrée d'une commission : elle devait aller porter à une jeune paysanne qui attendait un bébé une layette tricotée par madame Rivière de Bonneuil. Andrée arrêta l'auto devant une jolie maison landaise, au milieu d'une clairière entourée de pins ; j'étais habituée aux métairies de Sadernac, aux tas de fumier, aux ruisseaux de purin et l'élégance de cette ferme perdue dans la forêt me surprit. La jeune femme nous offrit du vin rosé que son beau-père fabriquait lui-même, elle ouvrit son armoire pour nous faire admirer ses draps brodés : ils avaient une bonne odeur de lavande et de mélilot. Un bébé de dix mois riait dans un moïse et Andrée l'amusa avec ses médailles d'or : elle aimait toujours beaucoup les enfants.

— Il est réveillé pour son âge ! dit Andrée.

Dans sa bouche, les lieux communs perdaient leur banalité, tant sa voix et le sourire de ses yeux étaient sincères.

— Celui-là ne dort pas non plus, dit gaiement la jeune femme en posant la main sur son ventre.

Elle était brune, avec une peau mate, comme Andrée ; elle avait la même carrure, des jambes un peu courtes, mais un port gracieux malgré sa grossesse avancée. « Quand Andrée attendra un enfant, elle sera juste pareille », me dis-je. Pour la première fois j'imaginai sans ennui Andrée mariée et mère de famille. Il y aurait autour d'elle de beaux meubles luisants, comme ceux-ci ; on se sentirait bien chez elle. Mais elle ne passerait pas des heures à fourbir ses cuivres ni à couvrir des pots de confitures avec du parchemin ; elle jouerait du violon et j'étais secrètement convaincue qu'elle écrirait des livres : elle avait toujours tant aimé les livres, et écrire.

« Comme le bonheur lui ira bien ! » me dis-je tandis qu'elle parlait avec la jeune femme du bébé qui allait naître, de celui qui poussait ses dents.

— C'était une belle journée ! dis-je quand une

heure plus tard l'auto s'arrêta devant les massifs de zinnias.

– Oui, dit Andrée.

J'étais sûre qu'elle aussi, elle avait pensé à l'avenir.

***

Les Gallard rentrèrent à Paris avant moi, à cause du mariage de Malou. Dès mon arrivée, je téléphonai à Andrée et nous prîmes rendez-vous pour le lendemain ; elle avait l'air pressé de raccrocher et je n'aimais pas causer avec elle sans voir son visage. Je ne lui posai pas de questions.

Je l'attendis dans les jardins des Champs-Élysées, face à la statue d'Alphonse Daudet. Elle arriva un peu en retard et je vis tout de suite que quelque chose n'allait pas : elle s'assit à côté de moi sans même essayer de me sourire. Je demandai anxieusement :

– Ça ne va pas ?

– Non, dit-elle. Elle ajouta d'une voix sans timbre, Pascal ne veut pas.

– Il ne veut pas quoi ?

– Que nous nous fiancions. Pas maintenant.

– Alors ?

— Alors maman m'expédie à Cambridge aussitôt après le mariage.

— Mais c'est absurde ! dis-je. C'est impossible ! Pascal ne peut pas vous laisser partir !

— Il dit que nous nous écrirons, qu'il essaiera de venir une fois, que deux ans ce n'est pas si long, dit Andrée de sa voix inexpressive ; elle avait l'air de réciter un catéchisme auquel elle ne croyait pas.

— Mais pourquoi ? dis-je.

D'ordinaire, quand Andrée me rapportait une conversation, c'était avec tant de clarté qu'il me semblait l'avoir entendue de mes oreilles ; cette fois, elle me fit d'un ton morne un récit confus. Pascal avait paru ému en la revoyant, il lui avait dit qu'il l'aimait, mais au mot de fiançailles, son visage avait changé. Non, avait-il dit vivement, non ! Jamais son père n'admettrait qu'il se fiançât si jeune ; après tous les sacrifices qu'il avait faits pour Pascal, M. Blondel était en droit d'escompter que son fils se consacrerait corps et âme à préparer son concours : une affaire sentimentale lui apparaîtrait comme de la dissipation. Je savais que Pascal respectait beaucoup son père, je pouvais comprendre que sa première réaction eût été la crainte de lui faire de la peine ; mais quand il avait su que madame Gallard ne céderait pas, comment n'avait-il pas passé outre ?

– Est-ce qu'il a senti comme l'idée de ce départ vous rend malheureuse ?

– Je ne sais pas.

– Le lui avez-vous dit ?

– Un peu.

– Il fallait insister. Je suis sûre que vous n'avez pas vraiment essayé de discuter.

– Il avait l'air traqué, dit Andrée. Je sais ce que c'est que de se sentir traqué !

Sa voix tremblait et je compris qu'elle avait à peine écouté les arguments de Pascal, qu'elle n'avait pas tenté de les réfuter.

– Il est encore temps de lutter, dis-je.

– Est-ce que je dois passer ma vie à lutter contre les gens que j'aime ?

Elle avait parlé avec tant de violence que je n'insistai pas.

Je réfléchis :

– Et si Pascal s'expliquait avec votre mère ?

– Je l'ai proposé à maman. Ça ne lui suffit pas. Elle dit que si Pascal avait sérieusement l'intention de m'épouser, il me présenterait à sa famille ; puisqu'il refuse, il ne reste qu'à couper court. Maman a eu une drôle de phrase, dit Andrée.

Elle rêva un moment.

— Elle m'a dit : « Je te connais bien ; tu es ma fille, tu es ma propre chair ; tu n'es pas assez forte pour que je te laisse exposée aux tentations ; si tu y succombais, je mériterais que le péché retombe sur moi. »

Elle m'interrogea du regard comme si elle espérait que je pourrais l'aider à saisir le sens caché de ces paroles ; mais pour l'instant, je me fichais éperdument des drames intimes de madame Gallard. La résignation d'Andrée m'impatientait.

— Et si vous refusiez de partir ? dis-je.

— Refuser ? Comment ça ?

— On ne vous embarquera pas de force sur un bateau.

— Je peux m'enfermer dans ma chambre et faire la grève de la faim, dit Andrée. Et après ? Maman ira s'expliquer avec le père de Pascal…

Andrée cacha son visage dans ses mains :

— Je ne veux pas penser à maman comme à une ennemie ! C'est affreux !

— Je parlerai à Pascal, dis-je avec décision. Vous n'avez pas su lui parler.

— Vous n'obtiendrez rien.

— Laissez-moi essayer.

— Essayez, mais vous n'obtiendrez rien.

Andrée regarda d'un air dur la statue d'Alphonse

Daudet, mais ses yeux fixaient autre chose que ce marbre languide.

— Dieu est contre moi, dit-elle.

Je tressaillis à ce blasphème, comme si j'avais été croyante.

— Pascal dirait que vous blasphémez, dis-je. Si Dieu existe, il n'est contre personne.

— Qu'en sait-on ? Qui donc comprend ce qu'est Dieu ? dit-elle.

Elle haussa les épaules :

— Oh ! peut-être il me réserve une bonne place dans son ciel : mais sur cette terre, il est contre moi.

Pourtant, ajouta-t-elle d'une voix passionnée, il y a des gens qui sont au ciel et qui ont été heureux en ce monde !

Soudain elle se mit à pleurer :

— Je ne veux pas m'en aller ! Deux ans loin de Pascal, loin de maman, loin de vous : je n'aurai pas la force !

Jamais, même au moment de sa rupture avec Bernard, je n'avais vu pleurer Andrée. J'aurais voulu lui prendre la main, faire un geste : mais je restai prisonnière de notre sévère passé et je ne bougeai pas. Je pensai à ces deux heures qu'elle avait passées sur le toit du château de Béthary en se demandant si elle allait sauter : en ce moment, il faisait tout aussi noir au-dedans d'elle.

– Andrée, dis-je, vous ne partirez pas : c'est impossible que je ne convainque pas Pascal.

Elle s'essuya les yeux, regarda sa montre et se leva :

– Vous n'obtiendrez rien, répéta-t-elle.

J'étais sûre du contraire. Quand je téléphonai à Pascal le soir, sa voix fut amicale et gaie ; il aimait Andrée, et il était accessible à la raison ; Andrée avait échoué parce qu'elle avait joué perdant ; moi je voulais gagner et j'emporterais le morceau.

Pascal m'attendait sur la terrasse du Luxembourg : il arrivait toujours le premier aux rendez-vous. Je m'assis, et nous constatâmes à haute voix que la journée était fort belle. Autour du bassin où voguaient des voiliers nains, les parterres de fleurs semblaient brodés au petit point ; leur dessin raisonnable, la franchise du ciel, tout confirmait ma certitude : c'était le bon sens, c'était la vérité qui allaient parler par ma bouche ; Pascal serait obligé de céder. J'attaquai :

– J'ai vu Andrée, hier après-midi.

Pascal me regarda d'un air compréhensif :

– Moi aussi, je voulais vous parler d'Andrée. Sylvie, il faut que vous m'aidiez.

C'était juste les mots que m'avait dits madame Gallard, autrefois.

– Non ! dis-je. Je ne vous aiderai pas à persuader Andrée de partir pour l'Angleterre. Il ne faut pas qu'elle parte ! Elle ne vous a pas dit à quel point cette idée lui fait horreur, mais moi je le sais.

– Elle me l'a dit, dit Pascal, et c'est pourquoi je vous demande de m'aider : il faut qu'elle comprenne qu'une séparation de deux ans n'a rien de tragique.

– Pour elle, c'est tragique, dis-je. Ce n'est pas seulement vous qu'elle quitte : c'est toute sa vie. Jamais je ne l'ai vue aussi malheureuse, ajoutai-je avec feu. Vous ne pouvez pas lui infliger ça !

– Vous connaissez Andrée, dit Pascal. Vous savez bien qu'elle commence toujours par prendre les choses trop à cœur : ensuite, elle retrouve son équilibre.

Il enchaîna :

– Si Andrée part consentante, sûre de mon amour, confiante dans l'avenir, la séparation ne sera pas si terrible !

– Comment voulez-vous qu'elle soit sûre de vous, confiante et tout si vous la laissez partir ! dis-je.

Je regardai Pascal avec consternation :

— Enfin, il dépend de vous qu'elle soit parfaitement heureuse, ou horriblement misérable, et vous choisissez son malheur !

— Ah ! vous avez l'art des simplifications, dit Pascal. Il releva le cerceau qu'une petite fille venait de lancer dans ses jambes et le lui renvoya d'un geste preste :

— Le bonheur, le malheur c'est avant tout une question de dispositions intérieures.

— Dans les dispositions où est Andrée, elle passera ses journées à pleurer, dis-je. J'ajoutai avec irritation :

— Elle n'a pas le cœur si raisonnable que vous ! Quand elle aime les gens, elle éprouve le besoin de les voir.

— Pourquoi devrait-on déraisonner sous prétexte qu'on aime ? dit Pascal. Je déteste ces préjugés romantiques.

Il haussa les épaules :

— Ce n'est pas si important, la présence, au sens physique du mot. Ou alors c'est que ça l'est trop.

— Peut-être qu'Andrée est romantique, peut-être qu'elle a tort, mais si vous l'aimez, vous devriez essayer de la comprendre. Vous ne la changerez pas à coups de raisonnements.

Je regardai avec inquiétude les plates-bandes

d'héliotropes et de sauges ; je me dis soudain :
« Je ne changerai pas Pascal à coups de
raisonnements. »

— Pourquoi avez-vous tellement peur de parler
à votre père ? demandai-je.

— Ce n'est pas de la peur, dit Pascal.

— Qu'est-ce que c'est ?

— Je l'ai expliqué à Andrée.

— Elle n'y a rien compris.

— Il faudrait connaître mon père et les rapports
que j'ai avec lui, dit Pascal.

Il me regarda avec reproche :

— Sylvie, vous savez que j'aime Andrée, n'est-ce
pas ?

— Je sais que vous la désespérez pour épargner
à votre père le moindre ennui. Enfin ! dis-je avec
impatience, il se doute bien que vous vous marie-
riez un jour !

— Il trouverait absurde que je me fiance si
jeune ; il jugerait très mal Andrée, et il perdrait
toute l'estime qu'il a pour moi.

De nouveau Pascal chercha mon regard :

— Croyez-moi ! J'aime Andrée. Pour lui refuser
ce qu'elle me demande, il faut que mes raisons
soient sérieuses.

— Je ne les vois pas, dis-je.

Pascal chercha ses mots, et il eut un geste d'impuissance :

— Mon père est vieux, il est fatigué, c'est triste de vieillir ! dit-il d'une voix émue.

— Essayez au moins de lui expliquer la situation ! Faites-lui sentir qu'Andrée ne supportera pas cet exil.

— Il me dira qu'on supporte tout, dit Pascal. Vous savez, il en a beaucoup supporté lui-même. Je suis certain qu'il pensera que cette séparation est souhaitable.

— Mais pourquoi ? dis-je.

Je sentais chez Pascal une obstination qui commençait à m'effrayer. Pourtant il n'y avait qu'un seul ciel sur nos têtes, une seule vérité. J'eus une inspiration :

— Avez-vous parlé à votre sœur ?

— Ma sœur ? non. Pourquoi ?

— Parlez-lui. Elle trouvera peut-être un moyen de présenter les choses à votre père.

Pascal se tut un moment.

— Ma sœur serait encore plus touchée que lui si je me fiançais, dit-il.

J'évoquai Emma, son grand front, sa robe bleue marine avec un col de piqué blanc, et cet air de propriétaire qu'elle avait en parlant à

Pascal. Bien sûr. Emma n'était pas une alliée.

— Ah ! dis-je. C'est d'Emma que vous avez peur ?

— Pourquoi refusez-vous de comprendre ? dit Pascal. Je ne veux pas faire de peine à mon père ni à Emma après tout ce qu'ils ont été pour moi : ça me semble normal.

— Emma ne compte tout de même plus que vous entrerez dans les ordres ?

— Mais non.

Il hésita :

— Ce n'est pas gai d'être vieux ; et ce n'est pas gai non plus de vivre avec un vieillard. Quand je ne serai plus là, la maison sera triste pour ma sœur.

Oui, je comprenais le point de vue d'Emma ; beaucoup mieux que celui de M. Blondel. Je me demandais si en vérité ce n'était pas surtout à cause d'elle que Pascal tenait à garder secrètes ses amours.

— Il faudra bien qu'ils se résignent à vous voir partir un jour ! dis-je.

— Je ne demande à Andrée que deux ans de patience, dit Pascal. Alors mon père trouvera normal que je pense à me marier ; et Emma se sera un peu habituée à cette idée. Aujourd'hui, ça serait un déchirement.

— Pour Andrée, ce départ est un déchirement. Si quelqu'un doit pâtir, pourquoi faut-il que ce soit elle ?

— Andrée et moi nous avons la vie devant nous et la certitude que plus tard nous serons heureux : nous pouvons bien nous sacrifier un moment à ceux qui n'ont rien, dit Pascal avec un peu d'irritation.

— Elle souffrira plus que vous, dis-je.

Je regardai Pascal avec hostilité :

— Elle est jeune, oui, ça veut dire qu'elle a du sang dans les veines, elle veut vivre…

Pascal hocha la tête :

— C'est aussi une des raisons pour laquelle il est sans doute préférable que nous nous séparions, dit-il.

Je fus interloquée.

— Je ne comprends pas, dis-je.

— Sylvie, par certains côtés vous êtes en retard sur votre âge, me dit-il sur le ton qu'avait jadis l'abbé Dominique quand il me confessait. Et puis vous n'avez pas la foi : il y a des questions qui vous échappent.

— Par exemple ?

— L'intimité des fiançailles, ce n'est pas facile à vivre pour des chrétiens. Andrée est une vraie

159

femme, une femme de chair. Même si nous ne cédons pas aux tentations, elles nous seront sans cesse présentes : ce genre d'obsession est en soi-même un péché.

Je me sentis rougir. Je n'avais pas prévu cet argument et je répugnai à l'envisager.

— Puisqu'Andrée est prête à prendre ce risque, ce n'est pas à vous de décider pour elle, dis-je.

— Si, c'est à moi de la défendre contre elle-même. Andrée est si généreuse qu'elle se damnerait par amour.

— Pauvre Andrée ! tout le monde veut faire son salut. Et elle a tant envie d'être un peu heureuse sur cette terre !

— Andrée a plus que moi le sens du péché, dit Pascal. Pour une innocente histoire enfantine, je l'ai vue se ronger de remords. Si nos rapports devenaient plus ou moins troubles, elle ne se le pardonnerait pas.

Je sentis que j'étais en train de perdre la partie ; mon angoisse me donna des forces :

— Pascal, dis-je, écoutez-moi. Je viens de passer un mois avec Andrée : elle est à bout. Physiquement, elle s'est un peu rétablie, mais elle va de nouveau perdre l'appétit et le sommeil, elle finira par tomber malade. Elle est à bout

160

moralement : vous imaginez dans quel état elle devait être pour s'entailler le pied avec une hache ?

D'une traite, je récapitulai ce qu'avait été la vie d'Andrée, depuis cinq ans. Le déchirement de sa rupture avec Bernard, sa déception en découvrant la vérité du monde dans lequel elle vivait, la lutte menée contre sa mère pour avoir le droit d'agir selon son cœur et selon sa conscience ; toutes ses victoires étaient empoisonnées par le remords et dans le moindre de ses désirs elle soupçonnait un péché. Au fur et à mesure que je parlais, j'entrevoyais des abîmes qu'Andrée ne m'avait jamais dévoilés mais que certaines de ses paroles m'avaient fait pressentir. Je prenais peur et il me semblait que Pascal devait être effrayé lui aussi.

– Chaque soir pendant ces cinq années elle a souhaité mourir, dis-je. Et l'autre jour elle était si désespérée qu'elle m'a dit : Dieu est contre moi !

Pascal secoua la tête ; son visage n'avait pas changé.

– Je connais Andrée aussi bien que vous, dit-il, et même davantage parce que je peux la suivre sur des plans qui vous sont interdits. Il lui a été beaucoup demandé. Mais ce que vous ignorez, c'est que Dieu dispense ses grâces dans la mesure où il inflige des épreuves. Andrée a des joies et des consolations que vous ne soupçonnez pas.

J'étais vaincue. Je quittai brusquement Pascal, et je m'en allai tête basse sous le ciel mensonger. D'autres arguments me vinrent à l'esprit : ils n'auraient servi à rien. C'était étrange. Nous avions eu des centaines de discussions, et toujours l'un de nous deux convainquait l'autre. Aujourd'hui, quelque chose de bien réel était en jeu, et tous les raisonnements se brisaient contre les évidences têtues qui nous habitaient. Je me demandai souvent les jours suivants quels étaient les vrais motifs auxquels obéissait Pascal. Était-ce son père, ou était-ce Emma qui l'intimidait ? Croyait-il à ces histoires de tentation et de péché ? Ou tout ceci n'était-il que prétexte ? Répugnait-il à s'engager dès à présent dans une vie d'adulte ? Il avait toujours envisagé l'avenir avec appréhension. Ah ! il n'y aurait pas eu de problème si madame Gallard n'avait pas envisagé ces fiançailles ; Pascal aurait vu tranquillement Andrée, pendant ces deux ans ; il se serait persuadé du sérieux de leur amour, il se serait habitué à l'idée de devenir un homme. Je n'en étais pas moins irritée par son entêtement. J'en voulais à madame Gallard, à Pascal, et aussi à moi-même parce que trop de choses, chez Andrée, me demeuraient obscures et que je ne pouvais pas lui être d'un vrai secours.

Trois jours se passèrent avant qu'Andrée trouvât de nouveau un moment pour me voir ; elle me donna rendez-vous au salon de thé du Printemps. Autour de moi, des femmes parfumées mangeaient des gâteaux et parlaient du prix de la vie ; depuis le jour de sa naissance, il avait été prévu qu'Andrée leur ressemblerait : elle ne leur ressemblait pas. Je me demandais quels mots j'allais lui dire : je n'en avais pas trouvé pour me consoler moi-même.

Andrée s'approcha d'un pas vif :

— Je suis en retard !

— Ça n'a aucune importance.

Elle était souvent en retard, non par absence de scrupules, mais parce qu'elle était partagée entre des scrupules contraires.

— Je m'excuse de vous avoir donné rendez-vous ici, mais j'ai si peu de temps, dit-elle. Elle posa sur la table son sac et une collection d'échantillons :

— J'ai déjà fait quatre magasins !

— Quel métier ! dis-je.

Je connaissais la routine. Quand les petites Gallard avaient besoin d'un manteau ou d'une robe, Andrée faisait le tour des grands magasins et de quelques boutiques spécialisées : elle rapportait chez elle des échantillons et après un conseil de famille, madame Gallard choisissait un tissu, en tenant compte de la qualité et du prix. Cette fois, il s'agissait de la confection des toilettes de mariage, il n'était pas question de se décider à la légère.

— Vos parents n'en sont pourtant pas à cent francs près, dis-je avec impatience.

— Non, mais ils pensent que l'argent n'est pas fait pour être gaspillé, dit Andrée.

Ce n'aurait pas été du gaspillage, pensais-je, que d'épargner à Andrée la fatigue et l'ennui de ces emplettes compliquées. Il y avait des cernes bistre sous ses yeux, son fard se détachait brutalement sur sa peau blanche. Cependant, à mon grand étonnement, elle sourit :

— Je crois que les jumelles seraient mignonnes dans cette soie bleue.

J'acquiesçai avec indifférence :

— Vous avez l'air fatigué, dis-je.

— Les grands magasins me donnent toujours mal à la tête, je vais prendre une aspirine.

Elle commanda un verre d'eau et du thé.

— Vous devriez voir un médecin : vous avez trop souvent mal à la tête.

— Oh ! ce sont des migraines ; ça va, ça vient, j'ai l'habitude, dit Andrée en diluant deux cachets dans un verre d'eau. Elle but et de nouveau elle sourit :

— Pascal m'a raconté votre conversation, dit-elle. Il était un peu peiné parce qu'il a eu l'impression que vous le jugiez très mal.

Elle me regarda d'un air grave :

— Il ne faut pas !

— Je ne le juge pas mal, dis-je.

Je n'avais plus le choix. Puisque Andrée devait partir, mieux valait qu'elle fît confiance à Pascal.

— C'est vrai que j'exagère toujours les choses, dit-elle ; je pense que je n'aurai pas la force : on a toujours la force.

Elle croisait et décroisait nerveusement ses doigts mais son visage était calme.

— Tout mon malheur, c'est que je ne crois pas assez, ajouta-t-elle. Il faut que je croie en maman, en Pascal, en Dieu : alors je sentirai qu'ils ne se détestent pas les uns les autres et qu'aucun d'eux ne me veut de mal.

Elle avait l'air de parler pour elle-même plutôt que pour moi : ce n'était pas son habitude.

— Oui, dis-je. Vous savez que Pascal vous aime et qu'à la fin vous vous marierez ; alors ces deux ans ne sont pas si longs…

– C'est mieux que je parte, dit-elle. Ils ont raison, et je le sais très bien. Je sais très bien que la chair est un péché : alors il faut fuir la chair. Ayons le courage de regarder les choses en face, ajouta Andrée.

Je ne répondis rien. Je demandai :

– Vous serez libre, là-bas ? Vous aurez du temps à vous ?

– Je suivrai quelques cours et j'aurai beaucoup de temps, dit Andrée. Elle but une gorgée de thé ; ses mains s'étaient apaisées.

– En ce sens, c'est une chance ce séjour en Angleterre ; si j'étais restée à Paris, j'aurais mené une vie horrible. À Cambridge, je respirerai.

– Il faudra dormir et manger, dis-je.

– N'ayez pas peur ; je serai raisonnable. Mais je veux travailler, dit Andrée d'une voix animée. Je lirai les poètes anglais, il y en a de si beaux. J'essaierai peut-être de traduire quelque chose. Et puis surtout j'aimerais faire une étude sur le roman anglais. Il me semble qu'il y a beaucoup de choses à dire sur le roman, des choses qu'on n'a encore jamais dites.

Elle sourit :

– Mes idées sont encore un peu confuses, mais il m'est venu un tas d'idées ces jours-ci.

– J'aimerais bien que vous me les disiez.

– Je veux en parler avec vous.

Andrée vida sa tasse de thé.

– La prochaine fois, je m'arrangerai pour avoir du temps. Je m'excuse de vous avoir dérangée pour cinq minutes ; mais je voulais juste vous dire de ne plus vous inquiéter pour moi. J'ai compris que les choses sont juste comme elles doivent être.

Je sortis avec elle du salon de thé et je la quittai devant un comptoir de sucreries. Elle me fit un grand sourire encourageant :

– Je vous téléphonerai. À bientôt !

\*\*\*

La suite des événements, je l'appris de la bouche de Pascal. Je lui ai fait raconter la scène si souvent et avec tant de détails que ma mémoire la distingue à peine de mes souvenirs personnels. C'était deux jours plus tard, à la fin de l'après-midi. M. Blondel corrigeait des devoirs dans son bureau ; Emma épluchait des légumes ; Pascal n'était pas encore rentré. On sonna. Emma s'essuya les mains et alla ouvrir la porte. Elle se trouva devant une jeune fille brune, vêtue correctement d'un tailleur gris, mais qui ne portait pas de chapeau, ce qui était, à l'époque, tout à fait insolite.

– Je voudrais parler à M. Blondel, dit Andrée.

Emma pensa qu'il s'agissait d'une ancienne élève de son père et elle fit entrer Andrée dans le bureau. M. Blondel vit avec surprise une jeune inconnue s'avancer vers lui la main tendue :

– Bonjour, Monsieur. Je suis Andrée Gallard.

– Excusez-moi, dit-il en serrant sa main, je ne me souviens pas de vous…

Elle s'assit et croisa les jambes avec désinvolture :

– Pascal ne vous pas parlé de moi ?

– Ah ! Vous êtes une camarade de Pascal ? dit M. Blondel.

– Pas une camarade, dit-elle.

Elle regarda autour d'elle :

– Il n'est pas là ?

– Non…

– Où est-il ? demanda-t-elle avec inquiétude. Est-ce qu'il est déjà au ciel ?

M. Blondel l'examina attentivement : ses pommettes étaient enflammées, visiblement elle avait la fièvre.

– Il va rentrer dans un moment, dit-il.

– Peu importe. C'est vous que je suis venue voir, dit Andrée.

Elle eut un frisson :

– Vous me regardez pour voir s'il y a la marque du péché sur ma figure ? Je vous jure que je ne suis pas une pécheresse ; j'ai toujours lutté, toujours, dit-elle passionnément.

– Vous avez l'air d'une très gentille jeune fille, balbutia M. Blondel qui commençait à se sentir sur des charbons ardents ; par-dessus le marché, il était un peu sourd.

– Je ne suis pas une sainte, dit-elle ; elle passa la main sur son front. Je ne suis pas une sainte, mais je ne ferai pas de mal à Pascal. Je vous en supplie : ne me forcez pas à partir !

– Partir ? Où donc ?

– Vous ne savez pas : c'est en Angleterre que maman va m'envoyer si vous me forcez à partir.

– Je ne vous force pas, dit M. Blondel. C'est un malentendu.

Le mot le soulagea ; il répéta :

– C'est un malentendu.

– Je sais tenir une maison, dit Andrée. Pascal ne manquera de rien. Et je ne suis pas mondaine. Si j'ai un peu de temps pour travailler mon violon et pour voir Sylvie, je ne demande rien de plus.

Elle regarda M. Blondel d'un air anxieux :

– Vous ne me trouvez pas raisonnable ?

– Tout à fait raisonnable.

– Alors pourquoi êtes-vous contre moi ?

– Ma petite amie, je vous répète qu'il y a un malentendu ; je ne suis pas contre vous, dit M. Blondel.

Il ne comprenait rien à cette histoire, mais cette jeune fille aux joues fiévreuses lui faisait pitié ; il avait envie de la rassurer et il avait parlé avec tant de force que le visage d'Andrée se détendit.

– Vraiment ?

– Je vous le jure.

– Alors vous ne nous défendrez pas d'avoir des enfants ?

– Bien sûr que non.

– Sept enfants, c'est trop, dit Andrée, il y a forcément du déchet ; mais trois ou quatre, c'est bien.

– Si vous me racontiez votre histoire, dit M. Blondel.

– Oui, dit Andrée.

Elle réfléchit un moment :

– Voyez-vous, je me disais que je devais avoir la force de partir, je me disais que je l'aurais. Et ce matin, en me réveillant, j'ai compris que je ne pouvais pas. Alors je suis venue vous demander d'avoir pitié de moi.

— Je ne suis pas un ennemi, dit M. Blondel. Racontez-moi.

Elle raconta, sans trop d'incohérence. Pascal entendit sa voix à travers la porte, et il eut un choc.

— Andrée ! dit-il avec reproche en entrant dans la pièce. Mais son père lui fit un signe.

— Mademoiselle Gallard avait à me parler, et je suis très heureux d'avoir fait sa connaissance, dit-il. Seulement elle est fatiguée, elle a de la fièvre : tu vas la ramener chez sa maman.

Pascal s'approcha d'Andrée et prit sa main :

— Oui, vous avez la fièvre, dit-il.

— Ça ne fait rien ; je suis si heureuse : votre père ne me déteste pas !

Pascal toucha les cheveux d'Andrée :

— Attendez-moi. Je vais appeler un taxi.

Son père le suivit dans l'antichambre et lui raconta la visite d'Andrée :

— Pourquoi ne m'avais-tu pas mis au courant ? demanda-t-il avec reproche.

— J'ai sûrement eu tort, dit Pascal.

Il sentit soudain quelque chose d'inconnu, d'inclément, d'insupportable qui lui montait à la gorge. Andrée avait fermé les yeux ; ils attendirent la voiture en silence. Il prit son bras pour descendre l'escalier. Dans le taxi, elle mit la tête sur son épaule.

– Pascal, pourquoi ne m'avez-vous jamais embrassée ?

Il l'embrassa.

Pascal s'expliqua brièvement avec madame Gallard ; ils s'assirent ensemble au chevet d'Andrée. « Tu ne partiras pas, tout est arrangé », dit madame Gallard. Andrée sourit :

– Il faut commander le champagne, dit-elle.

Et puis elle se mit à délirer. Le médecin prescrivit des calmants ; il parla de méningite, d'encéphalite mais ne se prononça pas.

Un pneumatique de madame Gallard m'apprit qu'Andrée avait déliré toute la nuit. Les médecins avaient déclaré qu'il fallait l'isoler et on l'avait transportée dans une clinique de Saint-Germain-en-Laye où l'on essayait par tous les moyens de faire tomber sa fièvre. Elle passa trois jours en tête à tête avec une infirmière :

– Je veux Pascal, Sylvie, mon violon et du champagne, répétait-elle à travers ses divagations. La fièvre ne tomba pas.

Madame Gallard la veilla pendant la quatrième nuit ; au matin Andrée la reconnut.

– Est-ce que je vais mourir ? demanda-t-elle. Il ne faut pas que je meure avant le mariage : les petites seront si mignonnes dans cette soie bleue !

Elle était si faible qu'elle pouvait à peine parler. Elle répéta plusieurs fois : « Je vais gâcher la fête ! Je gâche tout ! Je ne vous ai fait que des ennuis ! »

Plus tard elle serra les mains de sa mère :

– N'ayez pas de chagrin, dit-elle. Dans toutes les familles il y a du déchet : c'était moi le déchet.

Elle dit peut-être d'autres choses mais madame Gallard ne les répéta pas à Pascal. Quand je téléphonai vers dix heures à la clinique, on me dit : « C'est fini. » Les médecins ne s'étaient toujours pas prononcés.

Je revis Andrée dans la chapelle de la clinique, couchée au milieu d'un parterre de cierges et de fleurs. Elle portait une de ses longues chemises de nuit en toile rêche. Ses cheveux avaient poussé, ils tombaient en mèches raides autour d'un visage jaune, et si maigre que j'y retrouvai à peine ses traits. Les mains, aux longues griffes pâles, croisées sur le crucifix, semblaient friables comme celles d'une très vieille momie.

On l'enterra dans le petit cimetière de Béthary, parmi la poussière de ses ancêtres. Madame Gallard sanglotait. « Nous n'avons été que des instruments entre les mains de Dieu », lui dit M. Gallard. La tombe était couverte de fleurs blanches.

Je compris obscurément qu'Andrée était morte étouffée par cette blancheur. Avant de prendre mon train, je déposai sur les gerbes immaculées trois roses rouges.

*Crédits photographiques (les chiffres se rapportent à la numérotation des photos) :*

© Association Elisabeth Lacoin / L'Herne : 1/2/4/6/7/8/14/16
© Collection Sylvie Le Bon de Beauvoir / L'Herne : 3/10/12/13/15/17/18
D. R. : 5/9/11

*Achevé d'imprimer dans l'Union Européenne.*
Dépôt légal : octobre 2020